D1096895

PICCOLA BIBLIOTECA ADELPHI

259

Iosif Brodskij

FONDAMENTA
DEGLI INCURABILI

ADELPHI EDIZIONI

TITOLO ORIGINALE
Fondamenta degli Incurabili

Traduzione di Gilberto Forti

Fondamenta degli Incurabili è stato scritto da Iosif Brodskij su invito del Consorzio Venezia Nuova, che lo ha pubblicato nel dicembre 1989 in una edizione fuori commercio. Ringraziamo il Consorzio Venezia Nuova per aver consentito questa nuova edizione riveduta e ampliata del testo di Brodskij.

Prima edizione: febbraio 1991
Nona edizione: gennaio 2001

FONDAMENTA
DEGLI INCURABILI

A Robert Morgan

1

Molte lune fa il dollaro era a quota 870 e io ero a quota 32. Il globo era anch'esso più leggero − due miliardi di anime in meno −, e il bar della Stazione, in quella gelida sera di dicembre, era deserto. Lì, in piedi, aspettavo che venisse a prendermi l'unica persona che conoscevo in tutta la città. Il tempo passava, e lei non si faceva vedere.
Ogni viaggiatore conosce questo guaio: questo misto di sfinimento e di apprensione. È il momento in cui fissi attonito quadranti di orologi e tabelle di orari, analizzi il marmo varicoso sotto i tuoi piedi, inali ammoniaca e quel torbido odore che si sprigiona dalla ghisa delle locomotive nelle gelide notti d'inverno.
A parte il barista sbadigliante e la matrona assisa dietro il registratore di cassa, immobile, simile a un Buddha, tutt'intorno non si vedeva un'anima. Ma noi tre non potevamo far molto l'uno per l'altro, perché io avevo già dilapidato quasi tutto il mio capitale di italiano: il termine «espresso» l'avevo già usato due volte. Dalle loro mani avevo anche comprato il primo pacchetto di una mercanzia che

negli anni a venire avrebbe assunto i nomi di «Merda Statale», «Movimento Sociale» e «Morte Sicura»: il mio primo pacchetto di MS. Così ripresi le mie valigie e uscii all'aperto.

2

Era una notte di vento, e prima che la mia retina avesse il tempo di registrare alcunché fui investito in pieno da quella sensazione di suprema beatitudine: le mie narici furono toccate da quello che per me è sempre stato sinonimo di felicità, l'odore di alghe marine sotto zero. Per alcuni può essere l'erba appena tagliata o il fieno; per altri, gli aromi natalizi degli aghi di pino e dei mandarini. Per me, sono le alghe marine sotto zero − un po' per via degli aspetti onomatopeici di un nome che associa in sé il mondo vegetale e quello acquatico (il russo ha una parola meravigliosa, *vodorosli*), un po' per la vaga incongruenza e il nascosto dramma subacqueo che questo nome comporta. Ognuno si riconosce in certi elementi; al tempo in cui aspiravo quell'odore sui gradini della Stazione i drammi nascosti e le incongruenze erano, decisamente, il mio forte.

Non c'è dubbio che l'attrazione per quell'odore avrebbe dovuto spiegarsi con un'infanzia trascorsa sul Baltico, culla della sirena vagabonda di Montale. Ma io avevo i miei dubbi su questa spiegazione. Intanto, quell'infanzia non era stata poi così felice (un'infanzia lo è raramente, essendo una scuola di insicurezza e di disgusto per se stessi; e quanto al Baltico, bisognava essere un'anguilla per evadere dalla mia porzione di Baltico). L'origine di quell'attrazione, per me, stava altrove, al di là dei confini biografici, al di là della struttura genetica − in qualche punto dell'ipotalamo, tra gli altri ricordi che abbiamo dei nostri progenitori cordati e − di male in peggio − dell'*ichthýs* stesso che ha dato inizio a questa civiltà. Se poi quello fosse un *ichthýs* felice, è un altro discorso.

3

Un odore è, dopo tutto, una violazione dell'equilibrio su cui si regge l'ossigeno, un'invasione di quell'equilibrio da parte di altre sostanze − metano? carbone? zolfo? azoto? Secondo l'intensità di questa invasione, percepiamo un aroma, un odore, un fetore. È una questione di molecole, e la felicità, suppongo, scatta nel momento in cui captiamo allo stato libero gli elementi che compongono il nostro essere. E là, allora, ce n'era un bel numero, in uno stato di libertà totale, e io avevo la sensazione di essere entrato nel mio stesso autoritratto sospeso nell'aria fredda.

Il fondale era affollato di sagome scure di tetti e cupole, con un ponte che si arcuava sopra la curva nera di un tratto d'acqua di cui, da una parte e dall'altra, l'infinito ritagliava le estremità. Di notte, in terra straniera, l'infinito comincia con l'ultimo lampione, e lì il lampione distava solo venti metri. C'era una gran quiete. Di tanto in tanto qualche battello appena illuminato s'intrometteva a disturbare con le eliche il riflesso di un grande «Cinzano» al neon che tentava di assestarsi sulla nera incerata dell'acqua. Prima che vi riuscisse, sarebbe tornato il silenzio.

4

Sembrava di arrivare in un paese di provincia, in qualche posto sconosciuto, insignificante − forse al paese natale, dopo anni di assenza. Questa sensazione non era dovuta minimamente alla mia anonimità, all'incongruenza di una figura solitaria sui gradini della Stazione: un facile bersaglio per l'oblio. Ed era una sera d'inverno. E ricordai il primo verso di una poesia di Saba che in giorni lontani, in una precedente incarnazione, avevo tradotto in russo: «In fondo all'Adriatico selvaggio...». Nelle profondità, pensai, negli anfratti, nell'angolo remoto dell'Adriatico selvaggio... Se appena mi fossi voltato, avrei visto la Stazione in tutto il suo splendore rettangolare fatto di neon e di urbanità, avrei visto le lettere di scatola che dicevano VENEZIA.
Ma non lo feci. Il cielo era pieno di stelle in-

vernali, come accade spesso in provincia. Da un momento all'altro un cane poteva abbaiare in lontananza; oppure poteva farsi vivo un gallo. Con gli occhi chiusi contemplai un ciuffo di alghe impigliato in uno scoglio − alghe sotto zero che si aprivano a ventaglio contro lo scoglio umido, forse invetriato dal ghiaccio, in qualche punto dell'universo, uno qualunque, non importava. Io ero quello scoglio, e il palmo della mia mano sinistra era quel ciuffo, quel ventaglio di alghe marine.

Poi un grande scafo piatto, quasi un incrocio tra una scatola di sardine e un sandwich, affiorò dal nulla e toccò con una gomitata, con un tonfo, uno degli approdi della Stazione. Un grappolo di persone si gettò di corsa sulla riva e sempre correndo mi passò davanti, su per gli scalini, verso i treni. Allora vidi l'unica persona che conoscevo in tutta la città; la visione fu favolosa.

5

L'avevo vista per la prima volta diversi anni prima, in quella mia prima incarnazione: in Russia. La visione vi era arrivata per soddisfare le sue curiosità intellettuali, cioè più esattamente sulle orme di Majakovskij. Mancò poco che questa circostanza squalificasse la visione, come oggetto di interesse, agli occhi del gruppo di cui facevo parte. Se ciò non accadde, il merito fu delle proprietà estetiche della visione.

Alta quasi un metro e ottanta, esile, gambe lunghe, viso sottile, capelli castani, occhi a mandorla, pupille nocciola, un russo passabile e un sorriso abbagliante su quella bocca dalla linea stupenda, fasciata da una superba tenuta di camoscio impalpabile e di seta dello stesso tono, avvolta in un profumo mesmerizzante, a noi sconosciuto, la visione era di gran lunga la più elegante creatura di sesso femminile che avesse mai messo piede – un piede conturbante – nella nostra cerchia. Era fatta della materia che tiene freschi i sogni degli uomini sposati. E poi, era una veneziana.

Così non demmo troppo peso al fatto che fosse iscritta al PC italiano e alla conseguente simpatia per quei poveretti che formavano la nostra avanguardia degli anni Trenta: questi erano, secondo noi, due aspetti della frivolezza occidentale. Credo che se anche fosse stata una nazista dichiarata, avremmo spasimato per lei ugualmente, e forse di più. Ci lasciava letteralmente a bocca aperta, e quando poi mostrò una certa simpatia per un imbecille della peggior specie che si aggirava alla periferia del nostro gruppo, un babbeo lautamente pagato di estrazione armena, la nostra reazione comune fu di stupore e di rabbia più che di gelosia o di virile rimpianto; benché, a pensarci bene, non sarebbe il caso di arrabbiarsi solo all'idea di un po' di salsa piccante di un'altra cucina che va ad imbrattare un merletto di alta qualità. Comunque, noi ci arrabbiammo. Perché era più che una delusione: a noi sembrava un tradimento da parte del merletto.

Per noi, in quei giorni, stile e sostanza andavano di pari passo, indivisibili, come bellezza e intelligenza. Dopo tutto, eravamo ragazzi con la testa piena di libri, e a una certa età chi crede nella letteratura pensa che tutti condividano o debbano condividere le sue idee e i suoi gusti. Così, chi è elegante è dei nostri. Ignari del mondo, dell'Occidente in particolare, non sapevamo ancora che lo stile si poteva comprare, che la bellezza poteva essere una merce come un'altra. Per questo la visione ci appariva come la proiezione fisica e l'incarnazione dei nostri ideali e princìpi, e gli indumenti che indossava, compresi quelli trasparenti, appartenevano alla civiltà.

Quei concetti erano così indivisibili, e la visione così bella, che anche lì, a Venezia, a distanza di anni, pur appartenendo ormai a un'età diversa e in un certo senso a un Paese diverso, cominciai a scivolare inavvertitamente nella vecchia mentalità. La prima cosa che chiesi alla visione, sul ponte del vaporetto, mentre la folla dei passeggeri mi schiacciava contro la sua pelliccia di nutria, fu la sua opinione sull'ultimo libro di Montale, *Mottetti*. Il lampeggiare delle sue ventotto perle, un lampo ben noto, accompagnato dall'accendersi di una scintilla sull'orlo della pupilla nocciola e subito proiettato in alto, verso l'argenteo baluginare della Via Lattea, fu tutta la risposta alla mia domanda; ma era già tanto. Forse lì, nel cuore della civiltà, fare domande sull'ultimo frutto della civiltà era pura tautologia. Forse ero semplicemente poco cortese, visto che l'autore dei *Mottetti* non era un veneziano.

6

Il lento procedere del vaporetto attraverso la notte era come il passaggio di un pensiero coerente attraverso il subconscio. Sui due lati, con l'acqua nera come pece fino al ginocchio, si levavano gli enormi stipi intagliati di scuri palazzi ricolmi di tesori insondabili − oro, con ogni probabilità, a giudicare dal bagliore giallo, un tenue bagliore elettrico che trapelava di tanto in tanto da qualche fessura delle imposte. L'atmosfera complessiva aveva qualcosa di mitologico, anzi di ciclopico, per essere precisi; ero entrato in quell'infinito che contemplavo dai gradini della Stazione, e ora avanzavo tra i corpi dei suoi abitanti, passavo davanti al capannello di ciclopi assopiti che ogni tanto, nell'acqua nera che li cingeva, alzavano e poi abbassavano una palpebra.
Accanto a me la visione vestita di nutria stava spiegando sottovoce, in tono un po' misterioso, che mi avrebbe accompagnato all'albergo in cui mi aveva prenotato una stanza, che forse ci saremmo rivisti l'indomani o due giorni dopo, che voleva presentarmi a suo marito e a sua sorella. Mi piaceva quel tono misterioso, anche se si addiceva più alla notte

che al contenuto del discorso, e risposi, nello stesso registro da cospiratore, che è sempre un piacere incontrare dei potenziali parenti. Era forse una battuta un po' forte, in quelle circostanze, ma lei rise, con la stessa discrezione, nascondendo le labbra dietro la mano guantata di pelle marrone. Intorno a noi i passeggeri, quasi tutti bruni, così numerosi da rendere inevitabile la nostra contiguità, se ne stavano immobili, e quando avevano qualcosa da dirsi usavano toni altrettanto sommessi, come se anche i loro discorsi riguardassero cose di natura intima. Poi, per un momento, il cielo fu oscurato dalla vasta parentesi marmorea di un ponte, e di colpo tutto fu inondato di luce. «Rialto» disse lei con la sua voce normale.

7

Viaggiare sull'acqua, anche per brevi distanze, ha sempre qualcosa di primordiale. Senti che non dovresti essere lì, e a dirtelo non sono tanto gli occhi, gli orecchi, il naso, il palato o il palmo della mano quanto i piedi, i quali assumono, stranamente, la funzione di un organo dei sensi. L'acqua mette in discussione il principio di orizzontalità, specialmente di notte, quando la sua superficie somiglia a un selciato. Per quanto solido sia ciò che lo sostituisce sotto i tuoi piedi — il ponte di una nave —, sull'acqua stai un po' più attento che a terra, tutte le tue facoltà sono chiamate a una maggiore vigilanza. Sull'acqua, per esempio, non ti lasci distrarre come per la strada: le gambe ti tengono sotto costante controllo, te e le tue risorse, in costante equilibrio come se tu fossi una specie di bussola. Be', forse questo intensificarsi delle tue risorse, sull'acqua, è davvero un'eco remota e tortuosa dei nostri cari, vecchi cordati. In ogni modo, il senso dell'Altro si acuisce sull'acqua come se fosse sollecitato da un pericolo comune e insieme reciproco. La perdita dell'orientamento non è qualcosa che riguardi soltanto la nautica, è anche una categoria psicologica. Comunque sia, nei dieci minuti successivi, benché avanzassimo nella stessa direzione, notai che le nostre frecce, la mia e quella dell'unica persona che conoscevo in tutta la città, si scostavano di almeno quarantacinque gradi. Con ogni probabilità, perché quella parte del Canal Grande era meglio illuminata.

Sbarcammo all'Accademia, lasciandoci riassorbire dalla topografia solida e dal relativo codice morale. Dopo aver vagato per un po' di vicolo in vicolo, fui depositato nell'atrio di una pensione vagamente claustrale, ricevetti un bacio sulla guancia − mi sembrò un bacio dato al Minotauro piuttosto che a un intrepido eroe − e mi sentii augurare la buona notte. Poi la mia Arianna svanì, lasciando un filo fragrante di quel costoso profumo («Shalimar»?) a disperdersi rapidamente nell'atmosfera muffosa della pensione, pervasa peraltro da un vago ma onnipresente odore di pipì. Stetti per un poco a fissare i mobili. Poi mi buttai sul letto.

8

Così avvenne il mio primo arrivo in questa città. Gli auspìci non erano particolarmente fausti o infausti. Se quella notte conteneva un presagio, il presagio era che io non possederò mai questa città; ma del resto non ho mai avuto aspirazioni del genere. Credo che questo episodio, come inizio, possa andare, anche se, per quanto riguarda l'unica persona che conoscevo in tutta la città, questo episodio segna piuttosto la fine della nostra conoscenza. La vidi in seguito due o tre volte, durante quel soggiorno a Venezia; e fui anche presentato a sua sorella e a suo marito. La prima si rivelò una bella donna: non meno alta e slanciata della mia Arianna, e forse anche più brillante, ma più malinconica e, da quello che potevo capire, persino più sposata. Il secondo − il suo aspetto sfugge completamente alla mia memoria, per motivi di ridondanza − era un balordo di Dedalo, di quella sinistra setta postbellica che ha fatto più danni di qualsiasi Luftwaffe al paesaggio europeo. A Venezia alcuni meravigliosi campi sono stati sconciati dalle sue iniziative, tra le quali una banca, inevitabilmente, perché questo tipo di animale umano ama una banca con un trasporto assolutamente narcisistico, con la stessa passione che un effetto ha per la propria causa. Solo per quella «struttura» (allora la chiamavano così), pensavo, si meritava un castigo. Ma visto che anche lui doveva essere del PCI, come sua moglie, tanto valeva, secondo me, lasciare il gradevole compito ai compagni.

Non fu soltanto una questione di insofferenza; il resto venne in un'azzurra sera veneziana, quando telefonai dal fondo del mio labirinto all'unica·persona·che·conoscevo·in·tutta·la·città, e il professore, cogliendo forse nel mio stentato italiano qualcosa di sconveniente, tagliò il filo e la comunicazione. Ormai, dunque, toccava ai nostri rossi fratelli armeni.

9

In seguito, mi hanno detto, lei ha divorziato dal Dedalo e ha sposato un pilota dell'aviazione americana, il quale sarebbe poi il nipote del sindaco di una piccola città del grande Stato del Michigan, dove mi è accaduto di abitare in passato. Il mondo è piccolo, e quanto più si vive tanto più piccolo diventa. Così, se andassi in cerca di consolazioni, potrei ricavarne un po' dal pensiero che adesso calpestiamo tutt'e due lo stesso suolo − di un altro continente. Qualcuno può pensare, ovviamente, al sentimento che Stazio nutriva per

Virgilio, ma del resto è soltanto naturale che i tipi come me considerino l'America una specie di Purgatorio, senza contare che è Dante stesso a suggerire un'idea del genere. L'unica differenza è che lei, sotto quel cielo, si trova a casa sua molto più di me. Di qui le mie scorrerie nella mia personale versione del Paradiso, da lei così graziosamente inaugurate. In ogni caso, ho continuato per diciassette anni a ritornare in questa città, o a riapparirvi, con la frequenza di un brutto sogno.

10

Salvo due o tre eccezioni, dovute ad attacchi di cuore o ad analoghe emergenze, riguardanti me o qualcun altro, a Natale o poco prima mi sono affacciato ogni anno da un treno/aeroplano/vaporetto/pullman e ho trascinato le mie valigie, cariche di libri e macchine per scrivere, fino alla soglia di questo o quell'albergo, di questo o quell'appartamento. Nel secondo caso ero generalmente ospite degli amici, uno o due, che sono riuscito a farmi in questa città nella scia di quella visione che a poco a poco dileguava. Più avanti cercherò di spiegare perché le mie apparizioni hanno questa cadenza (anche se questo proposito è tanto tautologico da potersi invertire). Per il momento, vorrei dichiarare che, per quanto nordico io sia, la mia nozione del Paradiso non è condizionata dalla meteorologia né dalla temperatura. Anzi, toglierei subito di mezzo gli abitanti del Paradiso nonché l'eternità. A rischio di essere accusato di depravazione, confesso che il mio Paradiso è puramente visivo, ha a che fare con Lorrain più che con la dottrina ed esiste solo per approssimazioni. In fatto di approssimazioni, questa città è la massima possibile. Poiché non sono autorizzato a scoprire come la cosa si presenti dal punto di vista opposto, posso permettermi di essere restrittivo.

Lo dico qui e adesso per risparmiare al lettore una disillusione. Io non sono un essere morale (anche se tento di tenere la mia coscienza in pareggio) o un saggio; non sono un esteta né un filosofo. Sono soltanto un uomo nervoso, per effetto delle circostanze e dei miei atti, ma sono osservante. Come ha detto una volta il mio amato Akutagawa Riunosuke, non ho princìpi; tutto quello che ho sono i nervi. Le pagine che seguono, quindi, hanno a che fare con l'occhio piuttosto che con qualche convinzione, comprese quelle sul modo di gestire un racconto. L'occhio precede la penna, e non permetto alla mia penna di mentire circa la sua posizione. Avendo rischiato l'accusa di depravazione, non batterò ciglio a quella di superficialità. Le superfici − cioè la prima cosa che l'occhio registra − sono spesso più eloquenti del loro contenuto, che è provvisorio per definizione, tranne, si capisce, nella vita dopo la vita. A furia di scrutare la faccia di questa città per diciassette inverni, adesso dovrei essere capace di fare un po' il Poussin in maniera credibile: di dipingere l'immagine di questo posto, se non nelle quattro stagioni, almeno in quattro momenti del giorno.

È questa la mia ambizione. Se finisco fuori strada, è perché qui succede continuamente, con tante strade fatte d'acqua. Da queste pagine, in altre parole, potrà non venir fuori un racconto, una storia, bensì il fluire di un'acqua limacciosa «nella stagione sbagliata dell'anno». A volte appare azzurra, a volte grigia o bruna; invariabilmente è fredda e non potabile. Il motivo per cui mi ingegno a filtrarla è che contiene tanti riflessi, tra i quali il mio.

11

Inanimati per natura, gli specchi delle camere d'albergo sono poi resi ancora più opachi dall'aver visto tanta gente. Quella che ti restituiscono non è la tua identità, ma la tua anonimità, specialmente in un luogo come questo. Perché qui tu sei l'ultima cosa che t'interessa vedere. Durante i miei primi soggiorni mi sentivo spesso colto di sorpresa scoprendo la mia carcassa, vestita o nuda, nell'armadio aperto; dopo un poco cominciai a meravigliarmi degli effetti paradisiaci o ultramondani che questa città esercita sulla consapevolezza di sé. A un certo punto elaborai addirittura una teoria della ridondanza ecces-

siva, dello specchio che assorbe il corpo che
assorbe la città. Il risultato è, ovviamente, una
negazione reciproca. Un riflesso non può badare a un riflesso. La città è talmente narci-
sista che ti trasforma la mente in un amalgama, alleggerendola del suo significato. Così,
con gli analoghi effetti che esercitavano sul
tuo portafogli, alberghi e pensioni finivano
col sembrare molto congeniali. Dopo un soggiorno di due settimane − anche alle tariffe
di bassa stagione − ti ritrovi in bolletta e, insieme, sereno, come un monaco buddhista o
un santo cristiano. Ma a una certa età, e quando si fa un certo genere di lavoro, la serenità
è benvenuta, per non dire indispensabile.
Di questo, ormai, è inutile parlare, ovviamente, perché in inverno queste diaboliche volpi
chiudono due terzi degli alberghi minori,
mentre l'altro terzo mantiene per tutto l'anno certe tariffe estive che ti fanno strabuzza-
re gli occhi. Con un po' di fortuna puoi trovare un appartamento che, logicamente, si
porta dietro i gusti personali del proprietario in fatto di quadri, sedie, tende, e fa spuntare sulla tua faccia un vago senso di illegali-
tà quando ti guardi nello specchio della tua
stanza da bagno. In altre parole, fa venire a
galla proprio ciò che avresti voluto toglier-
ti di dosso: il tuo io. Comunque, l'inverno è
una stagione astratta: smorza i colori, anche in
Italia, e impone le leggi del freddo e delle
giornate brevi. Queste circostanze addestra-
no l'occhio a studiare il mondo esterno con
un'intensità superiore a quella della lampa-

dina elettrica che la sera ti aiuta a esaminare la tua fisionomia. Se questa stagione non ti calma necessariamente i nervi, li subordina però ai tuoi istinti: alle basse temperature la bellezza *è* bellezza.

12

Comunque sia, non verrei mai qui d'estate, neanche sotto la minaccia di una pistola. Sopporto poco il caldo, e ancor meno le violente emissioni di idrocarburi e ascelle. E poi mi danno ai nervi le mandrie in pantaloncini, specialmente quelle che nitriscono in tedesco: per l'inferiorità della loro anatomia rispetto a quella delle colonne, delle lesene, delle statue; perché la loro mobilità e tutto ciò che essa esprime stride troppo con la stasi del marmo. Devo essere uno di quelli che preferiscono la scelta al flusso, e la pietra è sempre una scelta. In questa città un corpo umano, per quanto ben dotato, dovrebbe sempre, secondo me, essere mascherato dai vestiti, se non altro perché si muove. I vestiti sono forse la nostra unica approssimazione alla scelta fatta dal marmo.

Questa, suppongo, è un'opinione estrema, ma io sono un nordico. Nella stagione astratta la vita sembra più reale che in qualsiasi altra, persino sull'Adriatico, perché in inverno tutto è più sodo, più netto. Se volete, consideratela propaganda a favore delle boutique veneziane, che fanno affari molto più rotondi quando il termometro scende. Un po' dipende dal fatto che d'inverno, per star caldi, occorre mettersi addosso più roba, senza contare il desiderio atavico di cambiar pelle. Ma non c'è viaggiatore che non si porti dietro indumenti di scorta, maglione, giacca, gonna, un paio di pantaloni, per non parlare di camicette e camicie, perché Venezia è quel tipo di città dove lo straniero e l'indigeno sanno in anticipo di essere in mostra.

A Venezia i bipedi diventano quadrumani, non possono fare a meno di comprare e di vestirsi. È una frenesia che non ha molto a che vedere con ragioni pratiche; è una risposta alla sfida della città. Tutti coviamo sospetti d'ogni genere sui punti deboli del nostro aspetto fisico, sull'imperfezione della nostra fisionomia. Ciò che vediamo in questa città, a ogni passo, a ogni curva, angolo, vicolo, aggrava in noi complessi e insicurezze. Ecco perché un individuo − specialmente le donne, ma anche gli uomini − non fa in tempo ad arrivare e già ha un piede in un negozio; con uno spirito di rivincita, direi. La bellezza circostante è tale che quasi subito si è presi da una voglia assolutamente incoerente, animalesca, di tenerle testa, di mettersi alla pari. La vanità non c'entra, e neppure la naturale sovrabbondanza di specchi, tra i quali il più importante è l'acqua stessa. Molto semplicemente, la città dispensa ai bipedi in arrivo la nozione di una superiorità estetica, una nozione che manca nelle loro tane d'origine, nel loro ambiente abituale. Ecco perché qui svolazzano tante pellicce, tanto camoscio, seta, lino, lana, tante stoffe d'ogni genere. Poi, quando tornano a casa, i bipedi guardano sbigottiti ciò che hanno comprato, sapendo benissimo che là, dalle loro parti, non c'è un posto in cui possano esibire il contenuto delle loro valige senza scandalizzare gli indigeni. Tutte quelle cose bisognerà lasciarle appassire nel guardaroba, oppure darle via, regalarle a qualche conoscente più giovane. Io, per fare un caso, ricordo di aver comprato qui parecchie cose − a credito, si capisce − che poi non ho avuto il fegato e il cuore di utilizzare. C'erano anche due impermeabili, uno verde senape e l'altro in una delicata sfumatura cachi. Adesso ornano le spalle del miglior ballerino del mondo e del miglior poeta di lingua inglese, benché questi due signori abbiano poco in comune con me in fatto di taglia e di età.

È colpa − o merito − delle vedute e delle prospettive veneziane, perché in questa città un uomo conta più per la sua silhouette che per i suoi connotati individuali, e una silhouette si può migliorare. È anche colpa − o merito − di tutto questo marmo, pizzi di marmo, intarsi, capitelli, cornicioni, rilievi e modanature, nicchie abitate e disabitate, santi, non santi, vergini, angeli, cherubini, cariatidi, frontoni, balconi con i loro robusti polpacci al vento, e relative finestre, gotiche o moresche. Perché questa è la città dell'occhio: le altre facoltà vengono in seconda linea, e molto distanziate. Il modo in cui le sfumature e i ritmi delle facciate cercano di addolcire i colori e i disegni sempre cangianti dell'acqua, basta questo perché tu corra ad agguantare una sciarpa fantasia, una cravatta insolita o che altro; basta questo perché uno scapolo incallito, persino lui, resti incollato a una vetrina straripante di spavaldi vestiti d'ogni tinta, senza contare le scarpe di vernice e gli stivaletti di camoscio, sparsi lì come tanti scafi di tutti i tipi sulla Laguna. L'occhio sospetta vagamente che tutte queste cose siano tagliate nella stessa stoffa che compone le vedute all'aria aperta, e sorvola sull'evidenza concreta delle etichette. E, in penultima analisi, l'occhio non sbaglia neanche tanto, se non altro perché lo scopo comune di tutte le cose, qui, è sempre lo stesso: farsi vedere. E, in ultima analisi, questa città è un vero trionfo del cordato, perché qui l'occhio, il nostro unico organo grezzo, quello più simile a un pesce, qui l'occhio nuota davvero: guazza, guizza, oscilla, si tuffa, si arrotola. La sua gelatina esposta indugia con gioia atavica su tutte le meraviglie riflesse nell'acqua, palazzi, tacchi a spillo, gondole, eccetera, riconoscendo in sé − e in nessun altro − il grande strumento che le ha fatte affiorare alla superficie dell'esistenza.

D'inverno, specialmente la domenica, ti sve-
gli in questa città tra lo scrosciare festoso delle
sue innumerevoli campane, come se dietro le
tendine di tulle della tua stanza tutta la porcellana di un gigantesco servizio da tè vibrasse
su un vassoio d'argento nel cielo grigio per-
la. Spalanchi la finestra, e la camera è subito
inondata da questa nebbiolina carica di rin-
tocchi e composta in parte di ossigeno umido, in parte di caffè e di preghiere. Non importa la qualità e la quantità delle pillole che
ti tocca inghiottire questa mattina: senti che
per te non è ancora finita. Alla stessa stregua,
non importa se sei più o meno autonomo, se
e quante volte sei stato tradito, se il tuo esa-
me di coscienza è più o meno radicale, più
o meno sconsolante: comunque stiano le cose,
presumi che per te ci sia ancora speranza, o
almeno un futuro. (La speranza, diceva Francesco Bacone, è una buona colazione, ma una
pessima cena). Questo ottimismo deriva dalla nebbiolina; dalle preghiere che ne fanno
parte, specialmente se è l'ora della colazione.
In giorni come questo la città sembra davvero fatta di porcellana: come no, con tutte le
sue cupole coperte di zinco che somigliano
a teiere, o a tazzine capovolte, col profilo dei
suoi campanili in bilico che tintinnano come
cucchiaini abbandonati e stanno per fondersi
nel cielo. Per non parlare dei gabbiani e dei
colombi che ora accorrono per mettersi a fuoco, ora si dissolvono nell'aria. D'accordo, que-

sto è un ottimo posto per le lune di miele, ma ho pensato spesso che bisognerebbe provarlo anche per i divorzi − per quelli in corso e per quelli già conclusi. Non c'è miglior fondale per un'estasi, per una passione che debba sfumare in dissolvenza; nessun egoista, abbia ragione o torto, può fare il divo per molto tempo in mezzo a questo servizio di porcellana posato su un'acqua di cristallo, perché il fondale gli ruba la scena. Mi rendo conto delle disastrose conseguenze che questa idea dei divorzi potrebbe avere sulle tariffe, anche in inverno. Comunque, la gente ama il proprio melodramma più dell'architettura, e io non mi sento minacciato. È incredibile che la bellezza sia quotata meno della psicologia, ma fintanto che le cose stanno così riuscirò a permettermi questa città − ci riuscirò, in altre parole, sino alla fine dei miei giorni, e magari anche nell'altra vita.

14

Si è ciò che si guarda − be', almeno in parte. La credenza medioevale secondo cui una donna incinta doveva guardare solo cose belle se voleva avere un bel bambino non è poi così ingenua se si considera la qualità dei sogni che si sognano in questa città. Nelle notti veneziane si registra una scarsa frequenza di incubi − a giudicare, beninteso, dalle fonti letterarie (e ricordando che gli incubi sono l'alimento principale di tali fonti). Dovunque vada, un uomo malato − un cardiopatico in particolare − è destinato a svegliarsi di soprassalto alle tre del mattino, una volta la settimana o giù di lì, in uno stato di autentico terrore, credendo che la sua ora sia venuta. Ebbene, devo segnalare che qui non mi è mai successo niente di simile; anche se, mentre scrivo queste frasi, provvedo a incrociare le dita delle mani e dei piedi.

Ci sono modi migliori, senza dubbio, per manipolare i sogni, e senza dubbio si può sostenere fondatamente che il modo migliore è quello gastronomico. Va detto però che la cucina locale, per gli standard italiani, non è tanto straordinaria da spiegare l'alta concentrazione di bellezza − bellezza di sogno, appunto − che si nota anche solo nelle facciate di questa città. Perché, come ha detto un poeta, le responsabilità cominciano nei sogni. In ogni caso, certe idee celestiali − aggettivo quanto mai adatto a questa città! − devono essere venute agli architetti di notte, mentre sognavano, perché nella realtà quotidiana non c'è nulla che possa ispirarle.

Se quel poeta avesse inteso dire, semplicemente, «a letto», anche questa teoria avrebbe qualche fondamento. L'architettura è sicuramente la meno carnale delle Muse, dato che il principio rettangolare che presiede alla costruzione − delle facciate, in particolare − milita, e spesso in modo clamoroso, contro l'interpretazione che il vostro psicoanalista darebbe di certe strutture − cirriformi o ondulate piuttosto che muliebri − come i cornicioni, le logge e quant'altro. Un disegno architettonico, in breve, è sempre più lucido della sua analisi. Resta il fatto che molti frontoni veneziani ricordano proprio una testiera che incomba sul rispettivo letto, abitualmente sfatto (sia mattina o sera). Sono assai più affascinanti, queste testiere, dell'eventuale contenuto di quei letti; più dell'anatomia dell'essere amato, il cui unico vantaggio, rispetto ad esse, può consistere nell'agilità o nel calore.

Se c'è qualche cosa di erotico nelle marmoree conseguenze di quei disegni architettonici, va ricercato nella sensazione che suscitano quando l'occhio si posa su una di esse − una sensazione simile a quella dei polpastrelli che toccano per la prima volta il seno o, meglio ancora, la spalla dell'essere amato. È una sensazione telescopica, la sensazione di entrare in contatto con l'infinito cellulare dell'esistenza di un altro corpo − una sensazione nota come tenerezza e proporzionata, forse, solo al numero di cellule che quel corpo contiene. (Sto dicendo cose che tutti capiscono, tranne i freudiani e tranne i musulmani, i quali credono nel velo. D'altra parte, questo può spiegare perché tra i musulmani vi siano tanti astronomi. E poi, il velo è un grande strumento di pianificazione sociale, visto che riesce ad assicurare un marito a ogni donna, brutta o bella che sia. Per male che vada, garantisce che lo shock della prima notte sia almeno reciproco. Comunque, nonostante la presenza di tanti motivi orientali nell'architettura veneziana, i musulmani sono i visitatori che s'incontrano più raramente da queste parti). In ogni caso, venga prima il sogno o prima la realtà, l'idea dell'aldilà è tenuta ben viva, a Venezia, dal suo tessuto visivo chiaramente paradisiaco. Nessuna malattia, per quanto seria, riuscirà mai a imporvi, qui, una visione infernale. In un simile ambiente soltanto una nevrosi di estrema gravità o un cumulo di peccati altrettanto imponente o le due cose insieme potrebbero gettarvi in preda agli incubi. È possibile, certo, ma non troppo frequente. Per i casi blandi, dell'uno o dell'altro genere, un soggiorno a Venezia è la terapia migliore, ed ecco spiegate origini e fortune del turismo sulla Laguna. Si dorme sodo, in questa città, perché i piedi faticano molto e affaticandosi placano una psiche eccitata e, allo stesso modo, ogni senso di colpa.

15

La miglior prova dell'esistenza dell'Onnipotente sta forse nel fatto che noi non sappiamo mai quando dovremo morire. In altre parole, se la vita fosse stata una faccenda esclusivamente umana, a ognuno di noi verrebbe assegnata, al momento della nascita, una scadenza o una sentenza, con l'esatta indicazione della durata della sua presenza sulla terra, come avviene sui campi di gioco. Se non avviene per la vita, c'è da supporre che la faccenda non sia strettamente umana; che intervenga qualcosa di cui non abbiamo idea e su cui non abbiamo alcun controllo; che vi sia un qualche ente non soggetto alla nostra cronologia o, diciamo, al nostro senso delle virtù. Da qui tutti questi tentativi di predire o immaginare il futuro personale, da qui questa fiducia nei medici e nelle chiromanti che diventa tanto più forte quando siamo malati o inguaiati e che è solo un tentativo di addomesticare − o demonizzare − il divino. Lo stesso vale per il nostro senso della bellezza, naturale o artificiale, dal momento che ciò che è infinito può essere apprezzato solo attraverso il finito. Se non si chiama in causa la grazia, la reciprocità sarebbe impossibile e comunque affidata a ragioni imperscrutabili − a meno che non si voglia davvero cercare una spiegazione benevola al fatto che in questa città ogni cosa ha un prezzo così salato.

16

Di professione − o piuttosto per l'effetto cumulativo di quello che ho combinato con gli anni − sono uno scrittore; di mestiere, però, faccio l'accademico, l'insegnante. Alla mia università la pausa invernale dura cinque settimane, e questo spiega, in parte, la cadenza dei miei pellegrinaggi in questa città − ma solo in parte. Il paradiso e le vacanze hanno questo in comune: sono cose che hanno un prezzo, da pagare con la tua vita precedente. Il mio innamoramento per questa città – per questa città in questa particolare stagione dell'anno – è cominciato molto tempo fa, molto prima che maturasse in me qualche talento appetibile per il mercato, molto prima che potessi permettermi questa passione.

Un certo giorno del 1966 – avevo ventisei anni – un amico mi prestò tre brevi romanzi di un autore francese, Henri de Régnier, tradotti in russo da un notevole poeta russo, Michail Kuzmin. Tutto quello che sapevo di de Régnier, allora, era che si trattava di uno degli ultimi parnassiani, un buon poeta ma niente che facesse venire la pelle d'oca. Tutto quello che conoscevo di Kuzmin (in parte a memoria) era una manciata di *Canti alessandrini* e di *Colombelle di creta*, il tutto accompagnato dalla sua reputazione di grande esteta, devoto ortodosso e omosessuale dichiarato (le tre cose in quest'ordine, direi).

Quando mi capitarono tra le mani quei romanzi, l'autore e il traduttore erano morti tutt'e due da un pezzo. Anche i libri erano moribondi: in brossura, pubblicati intorno al 1935, senza una legatura degna di questo nome, sul punto di disintegrarsi tra le dita. Non ricordo i titoli, né l'editore; anche delle rispettive trame mi resta un'idea molto vaga. Ho l'impressione, altrettanto vaga, che uno s'intitolasse *Svaghi provinciali*, ma non ci giurerei. Potrei controllare, si capisce, ma l'amico che me li prestò è morto un anno fa, e preferisco non farlo.

Le storie erano un incrocio tra il picaresco e il poliziesco, e almeno una, quella che per me continua a chiamarsi *Svaghi provinciali*, si svolgeva a Venezia, d'inverno. L'atmosfera era crepuscolare e pericolosa, la topografia era complicata da un gran numero di specchi; i principali avvenimenti si compivano dall'altra parte dell'amalgama, dentro un palazzo abbandonato. Come molti libri degli anni Venti era piuttosto breve − circa duecento pagine, non di più −, e il ritmo era veloce. Il tema era il solito: amore e tradimento. La cosa principale era che la storia si snodava in capitoletti di una pagina o una pagina e mezzo. La loro rapida successione dava il senso di tante strade umide, fredde, anguste, in cui la sera si affretta il passo in uno stato di crescente apprensione, guardando a sinistra, guardando a destra. Per uno nato dalle mie parti, la città che affiorava da quelle pagine era facilmente riconoscibile e sembrava un prolungamento di Pietroburgo, una sua proiezione in una cornice storica migliore e, ovviamente, a una latitudine migliore. Ma il punto più importante, per me, nella fase impressionabile in cui mi imbattei in quel libro, fu che ne ricavai una lezione fondamentale in fatto di composizione: imparai che la qualità di un racconto non dipende dalla storia in sé ma dal montaggio. Senza volere, finii con l'associare questo principio con Venezia. Se adesso il lettore soffre, ecco la ragione.

Poi, un giorno, un altro amico – questo è ancora vivo – mi portò un numero sbrindellato di «Life» con una strepitosa fotografia a colori di San Marco sotto la neve. Poi, di lì a poco, una ragazza che corteggiavo a quel tempo mi regalò per il compleanno una di quelle serie di cartoline che si aprono a fisarmonica: cartoline color seppia che sua nonna aveva portato dal viaggio di nozze a Venezia, prima della rivoluzione, e che per me diventarono oggetto di attenti studi con la lente d'ingrandimento. Poi mia madre tirò fuori, Dio sa da dove, un arazzetto quadrato, da pochi soldi, diciamo pure uno straccio, che raffigurava Palazzo Ducale e che servì a coprire il cuscino della mia ottomana (così la mia carcassa si adagiava su una sintesi della storia della Repubblica). Come se non bastasse, a tutto questo si aggiunse una piccola gondola di rame che mio padre aveva portato come ricordo da un periodo di servizio in Cina: i miei genitori la tenevano sulla loro toilette e ci mettevano bottoni staccati, spilli, francobolli e poi, col tempo, un numero crescente di pillole e fiale. Poi l'amico che mi aveva dato i romanzi di de Régnier – quello morto un anno fa – mi portò a una proiezione, non proprio ufficiale, di *Morte a Venezia* di Visconti, con Dirk Bogarde: solo in bianco e nero, perché la copia era arrivata di contrabbando. Ahimè, il film non era granché, e nemmeno il racconto mi è mai piaciuto molto. Ma la lunga sequenza iniziale, con Bogarde seduto nella *chaise-longue* su un vaporetto, mi fece dimenticare i titoli di testa che si sovrapponevano e mi fece rimpiangere di non essere mortalmente malato; ancora adesso sono capace di provare lo stesso rimpianto.

Poi venne la veneziana. A poco a poco, con la lenta navigazione di una chiatta, la città si metteva a fuoco. Era in bianco e nero, come si addice a un'immagine che affiora dalla letteratura, o dall'inverno: aristocratica, un po' fosca, fredda, in una luce scialba, con accordi di Vivaldi e Cherubini per sottofondo, con corpi femminili drappeggiati, quelli di Bellini/Tintoretto/Tiziano, al posto delle nuvole. E giurai a me stesso che se mai fossi riuscito a tirarmi fuori dal mio impero, per prima cosa sarei venuto a Venezia, avrei affittato una camera al pianterreno di un palazzo, in modo che le onde sollevate dagli scafi di passaggio venissero a sbattere contro la mia finestra, avrei scritto un paio di elegie spegnendo le sigarette sui mattoni umidi del pavimento, avrei tossito e bevuto; e quando mi fossi trovato a corto di soldi, invece di prendere un treno mi sarei comprato una piccola Browning di seconda mano e, non potendo morire a Venezia per cause naturali, mi sarei fatto saltare le cervella.

Un sogno decadente, si capisce, decadente al
cento per cento; ma a ventotto anni chiunque abbia un po' di cervello è un tantino decadente. E poi, era un progetto che non si poteva realizzare, né in tutto né in parte. Così,
quando a trentadue anni mi trovai tutto d'un
colpo nelle viscere di un continente diverso,
nel centro dell'America, il mio primo stipendio universitario lo usai per realizzare la parte
migliore di quel sogno e mi pagai un bigliet-
to di andata e ritorno, Detroit-Milano-Detroit.
L'aeroplano era pieno di italiani che lavora-
vano alla Ford o alla Chrysler e tornavano a
casa per Natale. Durante il volo, quando si
aprì lo spaccio *duty-free*, tutti quanti si preci-
pitarono verso la coda, e per un momento
ebbi la visione di un caro, vecchio aeroplano
che volava sopra l'Atlantico come un crocifisso: con le ali spalancate e la coda giù. Poi ci
fu il viaggio in treno, e in fondo, al capolinea, l'unica persona che conoscevo in tutta
la città. Il capolinea era freddo, umido, in
bianco e nero. La città si mise a fuoco. «La
terra era senza forma, e vuota; e la tenebra
copriva la faccia dell'abisso. E lo spirito di Dio
aleggiava sopra la faccia delle acque», per citare un autore che è stato da queste parti in
altri tempi. Poi ci fu quella mattina del giorno dopo. Era domenica, e tutte le campane
suonavano a festa.

Ho sempre aderito all'idea che Dio sia tempo, o almeno che lo sia il Suo spirito. Magari era un'idea mia, di mia fabbricazione, ma adesso non ricordo. In ogni caso ho sempre pensato che se lo spirito di Dio aleggiava sopra la faccia dell'acqua, l'acqua non poteva non rifletterlo. Da qui il mio debole per l'acqua, per le sue pieghe, rughe, increspature e − poiché sono un nordico − per il suo grigiore. Penso, molto semplicemente, che l'acqua sia l'immagine del tempo, e la notte di Capodanno, con un gusto un po' pagano, cerco sempre di trovarmi vicino all'acqua, possibilmente davanti a un mare o a un oceano, per assistere all'affiorare di una nuova porzione, di un'altra tazza di tempo. Non cerco una sirenetta nuda a cavallo di una conchiglia; voglio vedere una nuvola o la cresta di un'onda che lambisce la riva a mezzanotte. Questo, per me, è tempo che esce dall'acqua, e quando fisso il lungo pizzo che depone sulla spiaggia non lo guardo con la curiosità di una zingara sapiente ma con tenerezza e gratitudine.

Così ho messo gli occhi su questa città: questo è il come, e nel mio caso il Perché. Non c'è nulla di freudiano in questa fantasia, o nulla che si ricolleghi specificamente ai cordati, anche se, non c'è dubbio, si potrebbe scoprire qualche nesso evoluzionistico − se non proprio ancestrale − o autobiografico tra il disegno che un'onda lascia sulla sabbia e lo sguardo con cui l'osserva un discendente dell'ittiosauro, un altro mostro anche lui. Il pizzo verticale delle facciate veneziane è il più bel disegno che il tempo- *alias*- acqua abbia lasciato sulla terraferma, in qualsiasi parte del globo. In più esiste indubbiamente una corrispondenza — se non un nesso esplicito — tra la natura rettangolare delle forme di quel pizzo — ossia degli edifici veneziani — e l'anarchia dell'acqua, che disdegna la nozione di forma. È come se lo spazio, consapevole — qui più che in qualsiasi altro luogo — della propria inferiorità rispetto al tempo, gli rispondesse con l'unica proprietà che il tempo non possiede: con la bellezza. Ed ecco perché l'acqua prende questa risposta, la torce, la ritorce, la percuote, la sbriciola, ma alla fine la porta pressoché intatta verso il largo, nell'Adriatico.

20

In questa città l'occhio acquista un'autonomia simile a quella di una lacrima. L'unica differenza è che non si stacca dal corpo, ma lo subordina totalmente. Dopo un poco — il terzo o il quarto giorno dopo l'arrivo — il corpo comincia a considerarsi semplicemente il veicolo dell'occhio, quasi un sottomarino rispetto al suo periscopio che ora si dilata e ora si contrae. Certo, ci sarebbero molti bersagli, ma tutti i colpi ricadono sul sottomarino stesso: è il cuore che affonda, o la mente, se si vuole, mentre l'occhio torna sempre a galla. È una conseguenza naturale della topografia veneziana, dei vicoli tortuosi e sguscianti come anguille che alla fine ti portano a una grande sogliola, a una piazza con una chiesa al centro, incrostata di santi, che ostenta nel cielo le sue cupole simili a meduse. Qualunque meta tu possa prefiggerti nell'uscire di casa, sei destinato a perderti in questo groviglio di calli e callette che ti invitano a percorrerle fino in fondo, ti lusingano e ti ingannano, perché in fondo c'è quasi sempre l'acqua di un canale (e così non puoi nemmeno chiamarlo un *cul-de-sac*). A guardarla sulla carta, questa città fa pensare a due pesci alla griglia serviti nello stesso piatto, o magari alle due chele di un'aragosta che quasi si sovrappongono (Pasternak la paragonava a un *croissant* rigonfio); ma non ha un Nord né un Sud, non ha Est né Ovest; non ti indica una direzione, sempre e solo vie traverse. Ti circonda e ti avvolge come una massa di alghe marine sotto zero, e più ti agiti, più ti dibatti da una parte e dall'altra cercando di orientarti, più ti smarrisci. Non ti aiutano molto nemmeno le frecce gialle agli incroci, perché sono tutte curve, anche loro. Non ti confortano: ti confondono. Se poi fermi un passante per chiedergli la strada, ecco che la sua mano guizza su e giù nell'aria, e l'occhio, senza badare all'uomo che farfuglia: «A destra, a sinistra, dritto, dritto», vede in quella mano soltanto un pesce.

Ci sarebbe una metafora anche migliore: una rete impigliata nelle alghe sotto zero. Per la mancanza di spazio la gente esiste qui in uno stato di reciproca contiguità cellulare, e la vita evolve secondo la logica immanente del pettegolezzo. In questa città l'imperativo territoriale dell'individuo è circoscritto dall'acqua; le imposte delle finestre non escludono tanto la luce del giorno o il rumore (che qui è minimo) quanto ciò che può emanare dall'interno. Quando sono aperte, somigliano alle ali di angeli che frughino nella sordida vita privata di qualcuno; e i rapporti tra gli uomini, come le meticolose distanze tra le statue sui cornicioni, assumono qui aspetti che fanno pensare all'oreficeria o, meglio ancora, all'arte della filigrana. Da queste parti si è più reticenti e meglio informati di quanto sia la polizia in certe dittature. Non appena varchi la soglia del tuo appartamento, specialmente d'inverno, cadi preda di ogni possibile e immaginabile congettura, fantasia, diceria. Se eri in compagnia, il giorno dopo, dal droghiere o dal giornalaio, può accaderti di incontrare sguardi di biblica profondità, imprevedibili – crederesti – in un Paese cattolico. Se fai causa a qualcuno devi affidarti a un avvocato di fuori. Un viaggiatore, certo, ci si può anche divertire; uno del posto, no. Quello che un pittore ritrae sulla tela o un dilettante fotografa col suo apparecchio non diverte affatto chi vive sul posto. Ma l'insinua-

zione, come principio ispiratore dell'urbani-
stica (un termine che qui viene a galla solo
col senno di poi), è meglio di qualsiasi plani-
metria moderna ed è in tono con i canali della città, docili al volere dell'acqua che, come
le chiacchiere che ti inseguono, non finisce
mai.

In questo senso il mattone è senza dubbio più
potente del marmo, anche se l'uno e l'altro
restano impenetrabili per uno straniero. Comunque, una o due volte in questi diciassette anni mi è riuscito di insinuarmi in un *sancta
sanctorum* veneziano, in quel labirinto-dietro-
l'amalgama che de Régnier ha descritto in *Svaghi provinciali*. Accadde per vie così traverse
che adesso non ricordo nemmeno i particolari, non avendo potuto tenere il conto di tutte le curve e controcurve che precedettero, a
suo tempo, il mio ingresso in quel labirinto.
Qualcuno disse qualcosa a qualcun altro mentre un terzo che non avrebbe dovuto nemmeno essere lì ascoltava con le orecchie aperte:
il terzo telefonò al quarto, e il risultato fu che
una sera venni invitato a una festa che l'ennesimo dava nel suo palazzo.

22

L'ennesimo era entrato in possesso del palazzo solo da poco, dopo quasi tre secoli di battaglie legali combattute da diversi rami di una
famiglia che aveva dato al mondo un paio di

ammiragli veneziani. Non a caso, due enormi lanterne poppiere, splendidamente intagliate, montavano la guardia nella grandiosa cavità del cortile, gremito di attrezzi navali d'ogni sorta e d'ogni tempo, dal Rinascimento in poi. L'ennesimo era l'ultimo della genealogia e finalmente, dopo decenni e decenni di attesa, ce l'aveva fatta, con grande costernazione degli altri membri della famiglia. Non era un uomo di mare; era un po' scrittore e un po' pittore. Per il momento, però, la cosa più evidente in questo quarantenne – un uomo magro e piccolo, in un doppiopetto grigio di ottimo taglio – era il suo aspetto sofferente. Il colorito giallo faceva pensare ai postumi di un'epatite, o almeno a un'ulcera. Si cibava soltanto di consommé e verdure lesse, mentre i suoi invitati ingurgitavano roba che meriterebbe un capitolo a parte, se non un libro.

La festa, dunque, doveva celebrare la presa di possesso del palazzo da parte dell'ennesimo, nonché il varo di una sua iniziativa per la pubblicazione di libri sull'arte veneziana. Era già in pieno svolgimento quando arrivammo noi tre – una scrittrice, suo figlio e io. C'era un mucchio di gente: astri locali e astri vagamente internazionali, politici, nobili, teatranti, barbe e cravatte, amanti varie in varie gradazioni di fulgore, un asso del ciclismo, accademici americani. In più, un manipolo di garruli, agili, giovani omosessuali – inevitabili di questi tempi ogni volta che succede qualcosa di passabile o di buono. Su di loro vegliava una checca di mezza età, piuttosto agitata e sprezzante, molto bionda, molto cerulea, molto ubriaca: il maggiordomo del palazzo. Per lui i giorni di gloria erano finiti, e perciò odiava tutti. Non a torto, direi, date le incognite del domani.

Stavano facendo troppo baccano, e l'ennesimo si offrì gentilmente di mostrare a noi tre il resto della casa. Accettammo volentieri e salimmo in un piccolo ascensore. Nell'uscire dalla cabina ci lasciammo alle spalle il ventesimo, il diciannovesimo e una grossa fetta del diciottesimo secolo.

Ci ritrovammo in una lunga galleria poco illuminata, con un soffitto convesso, brulicante di putti. Non c'era luce che potesse aiutare, perché le pareti erano tutte coperte da vasti quadri a olio, brunastri, che andavano dal pavimento al soffitto, fatti sicuramente su misura per quello spazio e separati da busti e lesene di marmo che si discernevano appena. I quadri, per quello che si poteva vedere, rappresentavano battaglie terrestri e navali, cerimonie, scene della mitologia; la sfumatura più chiara era il bordeaux. Era una miniera di porfido in stato di abbandono, in uno stato di sera perpetua, con tutti quegli olii che oscuravano ogni riflesso del minerale: c'era un silenzio veramente geologico. Non potevi chiedere: Che cos'è questo? Chi è quello?, non potevi per l'incongruenza della tua voce, appartenente a un organismo posteriore e ovviamente irrilevante. O forse era un viaggio subacqueo, e noi eravamo una scolaresca di

46

pesci in gita tra i resti di un galeone affondato, carico di tesori; e non aprivi la bocca per non far entrare l'acqua.

All'estremità opposta della galleria il nostro anfitrione girò a destra, e noi tre lo seguimmo in una stanza che sembrava un incrocio tra la biblioteca e lo studiolo di un gentiluomo del Seicento. A giudicare dai libri allineati dietro la reticella metallica dell'armadio di legno rosso, grande quanto un guardaroba, il secolo del gentiluomo poteva essere addirittura il Cinquecento. C'era una sessantina di volumi bianchi, panciuti, rilegati in cuoio, da Esopo a Zenone, giusto il numero necessario e sufficiente per un gentiluomo; tutti i libri in più l'avrebbero trasformato in un *penseur*, con conseguenze disastrose per il suo equilibrio o per il suo patrimonio. A parte questo, la stanza era piuttosto spoglia. L'illuminazione non era molto migliore di quella della galleria, ma riuscii a distinguere uno scrittoio e un grande mappamondo sbiadito. Poi l'anfitrione girò una maniglia, e vidi la sua silhouette incorniciata da una porta che immetteva in un'infilata di stanze. Guardai in quella direzione e rabbrividii. Sembrava di essere sulla soglia di un viscido e livido infinito. Feci un passo e vi entrai.

Era una lunga successione di stanze vuote. Sapevo, razionalmente, che non poteva essere più lunga della galleria alla quale correva parallela. Eppure era più lunga. Avevo la sensazione di inoltrarmi non tanto in una normale prospettiva quanto in una spirale orizzontale in cui le leggi dell'ottica erano sospese. Ogni stanza ti faceva scomparire un poco, sempre di più, ti avvicinava di un altro passo alla non-esistenza. Tutto dipendeva da tre cose: i tendaggi, gli specchi e la polvere. Anche se in qualche caso potevi indovinarne la destinazione − sala da pranzo, salotto, forse una stanza per i bambini −, le stanze quasi sempre si somigliavano per la mancanza di una funzione apparente. Avevano press'a poco le stesse dimensioni, o almeno non sembravano granché diverse da questo punto di vista. E in ognuna le finestre erano nascoste da tendaggi e due o tre specchi adornavano le pareti.

Qualunque fosse stato in origine il colore e il disegno dei tendaggi, adesso restava soltanto un giallo pallido, estenuato, fragile. Se un dito li avesse toccati, se un refolo li avesse sfiorati, non ne sarebbe rimasto più nulla, e i brandelli di tessuto sparsi sul parquet erano il preannuncio di questa distruzione imminente. Stavano perdendo la pelle, quei tendaggi, e alcune pieghe lasciavano vedere larghe chiazze nude e consunte, come se il tessuto sentisse di aver concluso un ciclo e stesse ritornando allo stadio pre-telaio. Il nostro respiro, forse, era già un eccesso di familiarità, ma era sempre meglio dell'ossigeno fresco, di cui quel tessuto, come la storia, non aveva bisogno. Non era tabe, non era decomposizione; era un dissiparsi retrogrado, verso un tempo remoto in cui il colore e la struttura non contano, dove forse le cose, avendo imparato quale può essere la loro sorte, si ricomporranno per ritornare, qui o altrove, con un aspetto diverso. Avevano l'aria di volersi scusare: «Peccato,» sembravano dire «la prossima volta cercheremo di durare di più».

Poi c'erano quegli specchi, due o tre in ogni stanza, di varia grandezza ma quasi sempre rettangolari. Tutti avevano delicate cornici d'oro, con eleganti ghirlande floreali o scene idilliche che attiravano l'attenzione più delle superfici lisce, perché l'amalgama era invariabilmente in pessime condizioni. In un certo senso le cornici erano più coerenti del loro contenuto e quasi si sforzavano di trattenerlo per impedire che si riversasse sul muro e per terra. Abituati da secoli a non riflettere altro che la parete di fronte, gli specchi non si decidevano a restituirti il tuo viso, erano riluttanti, per avarizia o per impotenza; e quando ci provavano, le tue sembianze tornavano indietro incomplete. Comincio a capire de Régnier, pensai. Di stanza in stanza, a mano a mano che avanzavamo in quell'infilata, mi vedevo sempre meno, entro quelle cornici, vedevo sempre meno me stesso e sempre più il buio. Sottrazione progressiva, dicevo tra me; come andrà a finire? E finì nella decima stanza, o nell'undicesima. Ero vicino alla porta che dava nella stanza successiva, con gli occhi fissi su un rettangolo piuttosto grande, un metro per sessanta centimetri, e non vidi più me stesso, ma un nulla nero come la pece. Un nulla fondo e invitante che pareva racchiudere un'altra prospettiva, diversa —

forse un'altra infilata. Per un istante ebbi le vertigini; ma poi, non essendo un romanziere, saltai il fosso e varcai la soglia.

Fin dall'inizio l'avventura era stata discretamente sinistra; adesso lo divenne ancora di più. L'anfitrione e i miei due compagni erano rimasti indietro, non so dove, e non potevo contare su di loro. C'era una gran quantità di polvere dappertutto; le tinte e le forme di ogni cosa sfumavano sotto il grigio della polvere. Tavoli di marmo intarsiato, figurine di porcellana, divani, sedie, il parquet stesso, tutto ne era incipriato, e qualche volta, specialmente per i busti e le figurine, l'effetto era stranamente benefico, accentuando i loro lineamenti, le pieghe, la vivacità di un gruppo. Ma era quasi sempre uno strato spesso e compatto; in più, aveva qualcosa di definitivo, un'aria ultimativa, come se non ci si potesse aggiungere polvere nuova. Ogni superficie desidera e invoca la polvere, perché la polvere è la carne del tempo, come ha detto un poeta, e il sangue del tempo; ma qui il desiderio sembrava ormai spento. Adesso, pensai, la polvere filtrerà dentro gli oggetti, si fonderà con gli oggetti, e alla fine ne prenderà il posto. Dipende dalla natura dei materiali, pensai; alcuni sono molto resistenti; può anche darsi che non si disintegrino; semplicemente, diventeranno più grigi, perché il tempo potrebbe assumere le loro forme, non avrebbe niente in contrario, e anzi l'ha già fatto in questa successione di stanze vuote in cui stava prendendo il sopravvento sulla materia.

L'ultima era la camera da letto padronale. Lo spazio era dominato da un gigantesco letto a colonne, senza il tetto: la rivincita dell'ammiraglio, dopo l'angusta cuccetta sulla sua nave, o forse il suo omaggio al mare stesso. La seconda spiegazione era più verosimile, perché un mostruoso nembo di putti calava sul letto e aveva la funzione del baldacchino. Più che una schiera di putti, era una solida massa scolpita. I visi dei cherubini erano terribilmente grotteschi: avevano tutti quel ghigno perverso, lascivo, e gli occhi rivolti in giù, verso il letto, con una curiosità morbosa. Mi ricordarono quella scuderia di garruli giovani che avevo incontrato entrando nel palazzo; e poi notai un televisore portatile in un angolo della stanza, che per il resto era assolutamente nuda. Mi immaginai il maggiordomo che intratteneva il suo favorito, lì, in quella camera: un'isola fremente di carne nuda che si dibatteva in mezzo a un mare di lino, sotto gli occhi implacabili di quel capolavoro di gesso coperto di polvere. Stranamente, non provai ripulsione. Al contrario, mi sembrò che dal punto di vista del tempo quel tipo di svago potesse apparire solo appropriato, poiché non generava nulla. Dopo tutto, per tre secoli il nulla aveva regnato sovrano in quella stanza. Guerre, rivoluzioni, grandi scoperte, genii, epidemie non vi erano mai entrati, mai, per via di una questione legale. La causalità era cancellata, perché i suoi veicoli umani percorrevano l'infilata solamente in veste di curatori giudiziari, se pure lo facevano, e solo a intervalli di anni tra una visita e l'altra. Così, in definitiva, la piccola isola convulsa nel mare di lino era in tono con l'ambiente, dal momento che non poteva, per natura, dar vita a nulla. Tutt'al più l'isola del maggiordomo − o dovrei dire vulcano? − esisteva soltanto negli occhi degli amorini. Sulla mappa degli specchi non esisteva. Come non esistevo io.

23

Tutto questo è successo una volta sola, anche se mi dicono che di posti come quello, a Venezia, ce ne sono decine. Ma una volta può bastare, specialmente d'inverno, quando la nebbia indigena, la famosa Nebbia, trascina la città fuori dal tempo, rendendola più atemporale del *sancta sanctorum* di qualsiasi palazzo. La nebbia non cancella soltanto i riflessi, ma tutto ciò che abbia forma: edifici, esseri umani, porticati, ponti, statue. Il servizio dei vaporetti è sospeso, gli aeroplani non atterrano né decollano per settimane, le botteghe restano chiuse, la posta non arriva più. È come se una mano brutale avesse rovesciato come guanti tutte quelle infilate di stanze e avesse avvolto la città in quei tendaggi. La sinistra, la destra, l'alto e il basso si scambiano posto, e riesci a trovare la strada solo se sei del luogo o hai un cicerone. La nebbia è fitta, accecante e immobile. Quest'ultima qualità è però un vantaggio se devi uscire per una rapida commissione − per comprare le sigarette, diciamo −, perché allora, al ritorno, puoi infilare il tunnel che il tuo corpo ha scavato nella nebbia all'andata: è probabile che il tunnel resti aperto per mezz'ora. Nebbia vuol dire tempo per leggere, per tenere la luce accesa tutto il giorno, per non esagerare col caffè e con le riflessioni poco consolanti, per ascoltare le notizie della bbc, per andare a letto presto. In breve, tempo per obliare se stessi, nella scia di una città che ha smesso di farsi vedere. Senza volere, obbedisci alla città, specialmente se anche tu, come lei, non hai compagnia. Non essendo nato in questa città, puoi vantarti almeno di avere in comune con lei l'invisibilità.

24

Tutto sommato, però, per ritornare al marmo e al mattone, qui a Venezia le storie comuni, quelle di mattone, mi hanno sempre incuriosito non meno − e forse di più − delle storie eccezionali, quelle di marmo. In questa preferenza non c'è niente di populistico, e tanto meno di antiaristocratico, e non c'è neppure un atteggiamento da romanziere. È semplicemente l'eco del tipo di case in cui ho vissuto o lavorato per la maggior parte della mia vita. Avrò sbagliato a non nascere qui, e ho fatto un altro piccolo sbaglio, suppongo, scegliendo un genere di lavoro che normalmente non apre le porte di un piano nobile. D'altronde, c'è forse un pizzico di snobismo perverso nella mia simpatia per il mattone veneziano, per i suoi muscoli di un rosso acceso che vengono alla luce sotto lo stucco che si disquama. Come le uova, che spesso, soprattutto mentre mi preparo la colazione, mi fanno pensare alla civiltà sconosciuta che ebbe l'idea di produrre in maniera organica cibi in scatola, così il mattone e il lavoro del muratore richiamano in qualche modo una carne di tipo alternativo, non cruda, ovviamente, ma scarlatta e fatta di piccole cellule identiche. Uno dei tanti autoritratti della specie umana a un livello elementare, si tratti di un muro o di un camino. In fondo, a somiglianza dell'Onnipotente medesimo, noi facciamo tutte le cose a nostra immagine, in mancanza di un modello più sicuro, e i nostri manufatti la dicono lunga sul nostro conto, più delle nostre confessioni.

25

In ogni modo, mi è accaduto raramente, in questa città, di varcare la soglia di appartamenti altrui. Nessuna tribù ama gli stranieri, e i veneziani, oltre a essere insulari, sono anche molto tribali. E poi il mio italiano, che oscilla freneticamente intorno al suo zero stabile, è rimasto un deterrente. Dopo un mese è sempre migliorato, ma in capo a un mese io sono su un aeroplano che mi allontana, per un altro anno, dalla possibilità di esercitarmi. Perciò ho frequentato soprattutto veneziani che parlano inglese e americani trapiantati a Venezia, gente le cui case hanno in comune una certa aria già familiare, di − piccola o grande − prosperità. Quanto a quelli che parlavano il russo, i personaggi della locale Università, i loro sentimenti verso il Paese in cui sono nato e le loro idee politiche mi hanno stomacato. Il risultato sarebbe più o meno lo stesso con due o tre scrittori e accademici del posto: troppe litografie astratte alle pareti, troppi scaffali ben ordinati, troppa chincaglieria africana, mogli taciturne, figlie scialbe, conversazioni che si trascinano agonizzanti tra i fatti di attualità, gli accenni alla celebrità di qualcun altro, alla psicoterapia, al surrealismo, per concludersi con la descrizione della via più breve per ritornare in albergo. Gli itinerari possono essere diversi, ma la diversità è frustrata dalla tautologia del risultato finale. E invece io aspiravo a sprecare i miei pomeriggi nello studio deserto di qualche avvocato, o da un farmacista, tenendo d'occhio la sua segretaria che a un certo punto ci porterebbe il caffè dal bar dell'angolo, chiacchierando futilmente del più e del meno, del prezzo dei motoscafi o degli aspetti positivi del carattere di Diocleziano, visto che qui tutti hanno una discreta cultura classica (o così immaginavo). Non sarei più capace di alzarmi dalla sedia, i pochi clienti non ci distur-

berebbero; alla fine lui chiuderebbe a chiave
lo studio, e insieme faremmo un salto al Gritti
o al Danieli, dove gli offrirei da bere; se avessi
un po' di fortuna la sua segretaria ci farebbe
compagnia. Lì ci lasceremmo cadere in profonde poltrone e scambieremmo osservazio-
ni maliziose sui nuovi battaglioni germanici
o sugli immancabili giapponesi che attraverso le lenti a mandorla delle loro macchine fotografiche spiano allegramente, come nuovi
vecchioni, le pallide cosce di marmo di questa Susanna, le cosce nude di questa città, lam-
bite dalle fredde acque colorate dal tramonto. Poi il mio amico mi inviterebbe a casa sua
per la cena, e sua moglie, incinta un'altra volta, alzerebbe la testa sopra la pastasciutta fu-
mante per farmi un'allegra ramanzina a proposito di questo celibato senza fine. Troppi
film neorealisti, suppongo, troppo Svevo. Perché queste fantasie si realizzino ci vogliono
certi requisiti, gli stessi che occorrono per abitare a un piano nobile. Io non rispondo a questi requisiti; né ho mai vissuto qui abbastan-
za per abbandonare del tutto questo sogno a
occhi aperti. Per avere un'altra vita bisognerebbe essere capaci di fare un pacchetto della prima, un pacchetto a regola d'arte, una
volta per tutte. Nessuno riesce a farlo in maniera convincente, anche se qualche volta possono dare una spinta le mogli che scappano
di casa o i sistemi politici. I cani vecchi non
sognano padroni nuovi: nella loro decrepita
senilità sognano altre case, scale strane, odo-
ri bizzarri, mobili inconsueti, una topografia

sconosciuta. Ed è meglio non disturbarli, il segreto è tutto qui.

26

Così non mi è mai successo di dormire, e tanto meno di peccare, in un patriarcale letto di ferro con le sue ruvide lenzuola d'altri tempi, la coperta ricamata e adorna di grandi frange, i cuscini gonfi come nuvole e il piccolo crocifisso incrostato di perle sopra la testiera. Non ho mai posato il mio sguardo assente su un'oleografia della Madonna, sulle sbiadite fotografie di un babbo/fratello/zio/figlio tutto fiero sotto il cappello da bersagliere, o sulle tendine di chintz alla finestra, o sulla brocca di porcellana o di maiolica issata sopra il legno scuro di un cassettone pieno di pizzi paesani, lenzuola, asciugamani, federe e sottovesti che un giovane braccio robusto, abbronzato, quasi olivastro, ha lavato e poi stirato sul tavolo della cucina mentre una spallina scivola giù e gocce d'argento imperlano la fronte. (A proposito di argento, è molto probabile che l'argenteria sia nascosta in fondo a un cassetto, sotto una pila di lenzuoli). Tutto questo, ovviamente, appartiene a un film di cui non ero il protagonista, e nemmeno una comparsa, a un film che per quanto ne so, non gireranno mai (o, se lo faranno, la scenografia sarà tutta diversa). Il film, nella mia testa, si chiama «Famiglia ve-

57

neziana» e non ha una trama: so soltanto che c'è una scena in cui io cammino lungo le Fondamenta Nuove avendo alla mia sinistra il più grande acquerello del mondo e a destra un paradiso di mattoni. Porterei un berretto di tela, una giacchetta di lana scura e una camicia bianca con il colletto aperto, lavata e stirata da quella giovane mano robusta e abbronzata. Arrivato vicino all'Arsenale, volterei a destra, supererei dodici ponti e prenderei via Garibaldi, fino ai Giardini, dove, su una sedia di ferro, in un piccolo caffè chiamato proprio «Paradiso», sarebbe seduta la persona che sei anni fa ha lavato e stirato la mia camicia bianca. Lì vicino avrebbe un bicchiere di chinotto e un panino, un libretto gualcito, il *Monobiblos* di Properzio o le prose di Puškin; indosserebbe un vestito di taffetà comprato un giorno a Roma alla vigilia del nostro viaggio a Ischia, alzerebbe gli occhi color senape·e·miele, e li poserebbe sul personaggio con la giacchetta di lana e direbbe: «Che pancia!». Se c'è qualcosa che può salvare questo film da un fiasco tremendo, sarà la luce invernale.

27

Un po' di tempo fa ho visto da qualche parte la fotografia di un'esecuzione durante gli anni di guerra. Tre uomini pallidi e ossuti, di statura media e senza nulla di particolare nei lineamenti (erano ripresi di profilo), stavano in piedi sull'orlo di una fossa scavata di fresco. Avevano un aspetto nordico, e infatti, credo, la fotografia fu scattata in Lituania. Dietro ciascuno di loro c'era un soldato tedesco con un'arma puntata alla nuca del condannato. In lontananza si poteva vedere una piccola folla di altri soldati: gli spettatori. L'inverno era appena cominciato, o forse stava per finire l'autunno, perché i soldati avevano cappotti pesanti. I condannati erano vestiti tutti e tre allo stesso modo: berretti di tela, grosse giacche nere, camicie bianche senza colletto − l'uniforme delle vittime. Si vedeva, soprattutto, che avevano freddo. Anche perché ritraevano la testa tra le spalle. Ancora un secondo, e saranno morti: il fotografo premette lo scatto un istante prima che i soldati premessero il grilletto. I tre giovani contadini ritraevano la testa tra le spalle e stringevano gli occhi come fa un bambino in previsione di un'esperienza dolorosa. Si aspettavano di sentir male, forse molto male, si aspettavano il rumore assordante − così vicino alle orecchie! − di uno sparo. E stringevano gli occhi. Perché il repertorio delle reazioni umane è così limitato! Ciò che stava per arrivare era la morte, non il dolore; ma i loro corpi si rifiutavano di distinguere la differenza.

28

Nel 1977, un pomeriggio di novembre, al
«Londra», dove ero ospite della Biennale del
Dissenso, ricevetti una telefonata di Susan
Sontag, che stava al Gritti, ospite anche lei.
«Joseph,» mi disse «sai chi ho incontrato oggi
in piazza? Olga Rudge. La conosci?». «No.
Vuoi dire... la Pound?». «Sì,» disse Susan «e
mi ha invitato ad andare da lei stasera. Non
me la sento di andarci da sola. Ti dispiace-
rebbe accompagnarmi, se non hai altri impegni?». Di impegni non ne avevo, e dissi di sì,
ma certo. Capivo fin troppo bene la sua apprensione. La mia, pensai, sarebbe stata anche più grande. Be', tanto per cominciare, nel
mio genere di lavoro Ezra Pound è un nome
grosso, praticamente un'industria. Molti gra-
fomani americani hanno trovato in Ezra
Pound un maestro e un martire. Io, da giovane, avevo tradotto in russo parecchie cose
sue. Le traduzioni erano porcherie, e tutta-
via mancò poco che fossero pubblicate, grazie a un criptonazista che aveva le mani in pa-
sta in una solida rivista letteraria (adesso, si
capisce, il personaggio è un accanito nazio-
nalista). L'originale mi piaceva per la sua fre-
schezza un po' saccente e per i versi vigorosi,
per quel che aveva di diverso nei temi e nello stile, per gli abbondanti riferimenti cultu-
rali che allora erano fuori della mia portata.
Mi piaceva anche il motto «Far nuovo» − mi
piacque, cioè, finché non scoprii che sotto
quel motto si mettevano a nuovo cose piut-

tosto vecchie: eravamo, in sostanza, in un istituto di bellezza. Quanto all'internamento di Ezra Pound nell'ospedale psichiatrico di St. Elizabeth, non era poi una cosa da farci tanti romanzi, agli occhi di un russo, ed era sempre meglio dei nove grammi di piombo che i suoi discorsi alla radio, durante la guerra, gli avrebbero meritato in un altro Paese. Anche i *Cantos* mi avevano lasciato freddo; l'errore principale era un errore vecchio: la ricerca della bellezza. E sì che uno come lui, dopo aver vissuto tanti anni in Italia, avrebbe dovuto rendersi conto che la bellezza non può essere programmata, essendo sempre l'effetto secondario di altre ricerche, spesso molto normali. La cosa più giusta da fare, pensavo, sarebbe questa: pubblicare insieme le sue poesie e i suoi discorsi, in un solo volume, senza una dotta introduzione, e vedere che cosa succede. Se c'è qualcuno che dovrebbe sapere come il tempo ignori la distanza tra Rapallo e la Lituania, questo qualcuno è un poeta. E poi, secondo me, ammettere che si è buttata via la propria vita è più virile che perseverare nella posa del genio perseguitato, pronto ad alzare il braccio nel saluto fascista per poi negare che questo gesto abbia un significato, pronto a concedere interviste solenni ma reticenti e a coltivare l'immagine del vecchio saggio, col risultato finale di somigliare alquanto a Hailé Selassié. Ezra Pound continuava ad andar forte nella considerazione di qualche mio amico; e adesso mi toccava incontrare la sua vecchia.

L'indirizzo era nel sestiere della Salute, la parte della città con la più alta percentuale di stranieri, per quanto ne sapevo, e soprattutto di anglosassoni. Dopo aver girato a vuoto per un po', trovammo il posto − non troppo lontano dalla casa in cui Henri de Régnier aveva abitato all'inizio del Novecento. Suonammo il campanello, e la prima cosa che vidi, dopo la piccola donna dagli occhietti pungenti, fu il busto del poeta, scolpito da Gaudier-Brzeska, che aveva un posto d'onore sul pavimento del soggiorno. Mi aggredì subito un senso di noia, e fu una stretta improvvisa ma ben salda.

Fu servito il tè, ma non avevamo ancora mandato giù il primo sorso che la padrona di casa − quell'anziana signora dai capelli grigi, tutta elegantina, con l'aria di poter campare ancora molti anni − alzò in aria un ditino e lo posò sul solco invisibile di un disco mentale, finché dalle sue labbra arricciate uscì una romanza, con una musica che è di pubblico dominio almeno dal 1945. Che Ezra non era un fascista; che si era temuto che gli americani (ma come, non era americana anche lei?) lo mettessero sulla sedia elettrica; che lui non sapeva niente di quello che stava succedendo; che a Rapallo non c'era l'ombra di un tedesco; che lui in fondo andava da Rapallo a Roma, per quelle trasmissioni, solo due volte al mese; che gli americani sbagliavano a credere che lui pensasse davvero quello che diceva... A un certo punto smisi di registrare quello che la piccola signora andava dicendo — la cosa mi riesce tanto più facile perché l'inglese non è la mia madrelingua — e mi limitai ad annuire nelle pause o quando lei punteggiava il suo monologo con un retorico «Capito?». Un disco, pensavo; la voce del padrone. Sii gentile, mi dicevo, non interrompere la signora; sono tutte balle, ma lei ci crede. C'è qualcosa in me, suppongo, che rispetta sempre l'aspetto fisico delle enunciazioni umane, a prescindere dal loro contenuto; il movimento stesso delle labbra altrui è più essenziale di ciò che le fa muovere. Mi sprofondai ancora di più nella mia poltrona e cercai di concentrarmi sui pasticcini, visto che non era in programma una cena.

A scuotermi dalla mia *rêverie* fu il suono della voce di Susan Sontag. Era il segnale che il disco si era fermato. C'era qualcosa di strano nel timbro di Susan, e io drizzai l'orecchio. Susan stava dicendo: «Ma lei, Olga, non crederà sul serio che gli americani se la siano presa con Ezra per quelle trasmissioni. Se fosse solo questo, Ezra farebbe semplicemente il paio con Tokyo Rose». Be', era una delle più grandiose battute che avessi mai sentito. Guardai Olga. Bisogna dire che incassò il colpo molto bene: da uomo, anzi, da professionista. A meno che non le fosse sfuggito il senso delle parole di Susan; ma ne dubito. «E allora,» domandò «per che cosa se la sono presa?». «Per l'antisemitismo di Ezra» rispose Susan; e allora vidi la puntina di corindone, il ditino dell'anziana signora, alzarsi di nuovo e poi calarsi sull'altro lato del disco. L'altra

facciata diceva che: «Ezra non era un antise-
mita, non era un caso se si chiamava *Ezra*, alcuni suoi amici, tra i quali un ammiraglio veneziano, erano ebrei...». La seconda romanza era anch'essa di dominio pubblico, e non
meno lunga della prima − all'incirca tre
quarti d'ora; ma questa volta dovevamo proprio andare. Ringraziammo l'anziana signora per la bella serata e la salutammo. Per parte
mia, non sentivo in me la minima traccia di
quella tristezza che si prova di solito nell'u-
scire dalla casa di una vedova − o, comunque, nel congedarsi da qualcuno che resta solo
in un posto deserto. L'anziana signora era in
buona salute e ragionevolmente benestante;
per di più, aveva il conforto delle sue convin-
zioni − un conforto, mi sembrava, che avrebbe continuato a difendere a spada tratta. Non
mi era mai successo di incontrare un vecchio
fascista; in compenso avevo avuto a che fare
con un numero ragguardevole di vecchi co-
munisti, ed era la sensazione che provavo nella casa di Olga Rudge, con quel busto di Ezra
appollaiato sul pavimento. Usciti di lì, girammo a sinistra e in due minuti ci trovammo alle
Fondamenta degli Incurabili.

29

La luce invernale in questa città! Ha la straordinaria proprietà di esaltare il potere di definizione dell'occhio, portandolo a una preci-

sione microscopica — al punto che la pupilla, specialmente se è grigia o appartiene alla varietà senape-e-miele, mortifica qualsiasi obiettivo Hasselblad e alimenta poi ricordi così nitidi da poter figurare nelle pagine del «National Geographic». Il cielo è di un azzurro vivo; il sole scavalca la propria immagine dorata ai piedi di San Giorgio e va a danzare sopra le innumerevoli squame delle piccole onde che increspano la Laguna; dietro di te, sotto il colonnato del Palazzo Ducale, un gruppo di robusti signori in pelliccia sta eseguendo a tutto volume, a tuo esclusivo beneficio, *Eine kleine Nachtmusik*, e tu sei lì, allungato su una sedia bianca, con gli occhi socchiusi, a sbirciare le mosse ossessionanti dei piccioni impegnati nella loro partita sulla scacchiera della grande piazza. L'espresso rimasto in fondo alla tua tazzina è l'unico punto nero in un raggio — così ti sembra — di molte miglia.

Questo succede a mezzogiorno. La mattina questa luce si affaccia ai vetri della tua finestra, ti schiude l'occhio come fosse una conchiglia, ti chiama all'aperto e si mette a correre davanti a te strimpellando con i suoi lunghi raggi — come un ragazzino scatenato che batte il bastone contro la cancellata di un giardino o di un parco — su arcate, portici, comignoli di mattoni rossi, santi e leoni. «Dipingi, dipingi!» ti grida la luce, scambiandoti per un Canaletto, un Carpaccio, un Guardi, oppure perché non si fida, non è tanto sicura che la tua retina sia capace di trattenere tutto ciò che lei ti squaderna davanti − per non parlare del tuo cervello, della sua modesta capacità di assimilazione. Di queste due capacità forse la seconda spiega la prima. Forse si tratta di sinonimi. Forse l'arte è semplicemente la reazione di un organismo di fronte alle proprie limitate possibilità ritentive. In ogni modo, tu obbedisci all'ordine e impugni la macchina fotografica per soccorrere le tue cellule cerebrali e la tua pupilla. Se mai questa città dovesse trovarsi a corto di soldi, può sempre rivolgersi alla Kodak per un aiuto finanziario − oppure imporre tasse feroci sui prodotti della medesima. Alla stessa stregua, fintanto che questa città esiste, fintanto che la luce invernale splende su di essa, le azioni Kodak sono il migliore degli investimenti.

30

Al tramonto tutte le città sembrano meravigliose, ma alcune più di altre. I rilievi diventano più morbidi, le colonne più rotonde, i capitelli più ondulati, i cornicioni più netti, le guglie più affilate, le nicchie più profonde, gli apostoli più solenni nei loro panneggi, gli angeli più aerei. Nelle strade si fa buio, ma è ancora giorno per le fondamenta e per quel gigantesco specchio liquido in cui motoscafi, vaporetti, gondole, barchini, barconi si accaniscono a calpestare − come uno stuolo disordinato di vecchie scarpe − le facciate barocche e gotiche, senza risparmiare la tua personale immagine riflessa o quella di una nuvola di passaggio. «Dipingi» bisbiglia la luce invernale quando è bloccata dal muro di mattoni di un ospedale o quando, dopo la lunga traversata del cosmo, arriva a casa in quel paradiso che è il frontone di San Zaccaria. E tu avverti tutta la fatica di questa luce che si concede un'altra oretta di riposo tra le conchiglie marmoree di San Zaccaria mentre la Terra porge l'altra sua guancia al sole. Ecco, questa è la luce invernale nella sua massima purezza. Non porta calore o energia perché li ha persi per strada e se li è lasciati dietro in qualche parte dell'universo oppure nel cirrocumulo lì vicino. L'unica ambizione delle sue particelle è quella di raggiungere un oggetto e di renderlo — piccolo o grande che sia — visibile. È una luce privata, la luce di Giorgione o del Bellini, non la luce del Tiepolo o del Tintoretto. E la città vi si crogiola, gustandone il tocco, la carezza dell'infinito dal quale essa è venuta. Un oggetto, dopo tutto, è ciò che rende privato l'infinito.

31

E l'oggetto può essere un piccolo mostro, con la testa di un leone e il corpo di un delfino. Il secondo guizzerebbe, il primo spalancherebbe le fauci. Potrebbe adornare un ingresso o semplicemente schizzare fuori da un muro senza un qualsiasi scopo apparente. L'assenza di ogni scopo lo renderebbe stranamente riconoscibile. Quando si fa un certo genere di lavoro, e si arriva a una certa età, nulla è tanto riconoscibile quanto l'assenza di ogni scopo. Lo stesso vale per una combinazione di due o più attributi, segni caratteristici, proprietà – per non parlare dei sessi. Nell'insieme, tutte queste creature da incubo – draghi, grifoni, basilischi, sfingi con petto muliebre, leoni alati, cerberi, minotauri, centauri, chimere – che ci vengono dalla mitologia (la quale avrebbe pieno diritto al titolo di surrealismo classico) sono autoritratti dell'uomo, nel senso che denotano la memoria genetica della sua evoluzione. Non stupisce che abbondino qui, in questa città scaturita dall'acqua. E non c'è in esse niente di freudiano, niente di sub- o inconscio. Data la natura della realtà umana, l'interpretazione dei sogni è una tautologia, e tutt'al più potrebbe essere giustificata solo dalla proporzione tra luce diurna e tenebra notturna. È dubbio però che questo principio democratico abbia corso in natura, dove non c'è nulla che goda di una maggioranza. Nemmeno l'acqua, che pure riflette e rifrange tutte le cose, compresa se stessa, alterando forme e sostanze, a volte benevolmente, a volte mostruosamente. È questo che spiega, qui, la qualità della luce invernale; è questo che spiega, qui, la sua passione per i piccoli mostri, nonché per i cherubini. Presumibilmente i cherubini fanno parte anch'essi dell'evoluzione della specie.

Oppure no, è tutto il contrario, perché in questa città, se si facesse un censimento, potrebbero risultare più numerosi della popolazione umana.

32

Tra mostri e cherubini, comunque, sono i mostri quelli che esigono un'attenzione maggiore. Se non altro perché questo termine ci è stato buttato in faccia più spesso dell'altro; se non altro perché le ali riesce a procurarsele solo chi va in aeronautica. Basterebbe la nostra cattiva coscienza a suggerire l'identificazione con una di queste promiscue creature di marmo, bronzo o gesso — col drago, per fare l'esempio più semplice, piuttosto che con san Giorgio. In un genere di lavoro che comporta il gesto di intingere una penna in un calamaio, ci si può identificare anche con tutt'e due. Dopo tutto, non esiste un santo senza un mostro — a parte il fatto che l'inchiostro ha origini subacquee. Ma anche senza troppo riflettere sopra (o rifrangere) questa idea, è chiaro che questa è una città di pesci: presi nella rete o guizzanti in libertà, ma sempre pesci. E, visto da un pesce — da un pesce dotato, per una volta, di un occhio umano, in modo da evitare quelle famose distorsioni —, l'uomo apparirebbe davvero un mostro: non un ottopode, forse, ma sicuramente un quadrupede. Un essere, comunque, assai più complesso del pesce medesimo. Non c'è da meravigliarsi, allora, se gli squali ce l'hanno tanto con noi. Se uno di noi dovesse chiedere a una semplice orata − e non al momento della cattura, ma quando ancora è allo stato libero − che impressione ha di lui, la risposta sarebbe: Sei un mostro. E lo direbbe con una convinzione stranamente familiare, come se il suo occhio appartenesse alla varietà senape-e-miele.

33

Così, mentre ti aggiri per questi labirinti, non sai mai se insegui uno scopo o fuggi da te stesso, se sei il cacciatore o la sua preda. Non un santo, sicuramente, ma forse non ancora un drago in piena regola; non proprio un Teseo, ma neanche un minotauro affamato di vergini. La versione greca, però, suona meno allarmante, dal momento che il vincitore resta quello che è, dal momento che l'uccisore e l'ucciso sono in qualche modo parenti. Il mostro, dopo tutto, era fratellastro di Arianna; in ogni caso, era fratellastro di colei che alla fine sposò l'eroe. Arianna e Fedra erano sorelle, e l'intrepido ateniese, per quello che ne sappiamo, le ebbe tutt'e due. In fondo, se aveva in mente di entrare col matrimonio nella famiglia del Re di Creta, potrebbe avere accettato la sua missione di morte per dare un po' di rispettabilità alla famiglia. Le due fanciulle, come nipoti di Helios, avevano fama di purezza e di luminosa bellezza; i loro nomi promettevano queste qualità. Del resto, persino la loro madre, Pasifae, con tutte le sue oscure pulsioni, era splendida, anzi Splendida-da-abbagliare. E forse cedette alle oscure pulsioni e lo fece col toro proprio per dimostrare l'indifferenza della natura per il principio maggioritario, visto che le corna del toro fanno pensare alla luna. Forse a lei, più ancora della zoofilia, interessava il chiaroscuro; e forse eclissò il toro per ragioni puramente ottiche. E il fatto che il toro − il cui *pedigree* carico di simboli arriva fino alle pitture rupestri − fosse tanto cieco da farsi ingannare dalla vacca artificiale fabbricata appositamente da Dedalo è una prova nelle mani di Pasifae: la prova che la sua ascendenza aveva ancora la meglio nel sistema di causalità; la prova, cioè, che la luce di Helios rifratta in lei, Pasifae, era ancora − dopo quattro figli (due femmine eccezionali e due maschi buoni a nulla) − così splendida da abbagliare. Per quanto riguarda il principio di causalità, ci sarebbe da aggiungere che il principale eroe di questa storia è proprio Dedalo, il quale, oltre a una vacca molto convincente, costruì − questa volta su richiesta del Re − il labirinto stesso, in cui il rampollo dalla testa di toro e il suo uccisore si trovarono un giorno l'uno di fronte all'altro, con disastrose conseguenze per il primo. In un certo senso, l'intera faccenda è un parto del cervello di Dedalo, e specialmente il labirinto, che infatti somiglia a un cervello. In un certo senso, ognuno è imparentato con ognuno: il cacciatore con la sua preda, se non altro.

Non stupisce, quindi, che i vagabondaggi per le vie di questa città − che per quasi tre secoli ebbe nell'isola di Creta la sua colonia più vasta − abbiano un sapore tautologico, specialmente quando la luce si attenua, cioè specialmente quando vengono meno le sue proprietà pasifaiche, arianniche e fedriche. In altre parole, specialmente la sera, quando uno si abbandona a riflessioni poco consolanti su se stesso.

34

In compenso ci sono, ovviamente, torme di leoni: leoni alati, col libro aperto sul motto «Pax tibi, Marce, Evangelista meus», o leoni dal normale aspetto felino. Quelli alati, a rigore, appartengono anche loro alla categoria dei mostri. In essi però, dato il mio genere di lavoro, ho sempre visto un'altra versione di Pegaso, più sveglia e più istruita, perché Pegaso saprà volare, d'accordo, ma è alquanto dubbio che sappia leggere. Per voltare le pagine, comunque, una zampa è uno strumento che ha qualche vantaggio su uno zoccolo. In questa città i leoni sono onnipresenti, e con gli anni, senza volere, ho finito anch'io con l'adottare questo totem, al punto da metterne uno sulla copertina di un mio libro: non mi sarò fatto una mia facciata, ma questo è il massimo di approssimazione cui si possa arrivare nel mio genere di lavoro. Ma mostri rimangono, non foss'altro perché sono prodotti della fantasia di questa città, la quale infatti, anche al culmine della sua potenza marittima, non controllò mai un territorio in cui si potesse trovare questo animale, sia pure nell'edizione senza le ali. (I greci furono più realisti col loro toro, nonostante il suo *pedigree* neolitico). Quanto poi all'Evangelista, morì in Egitto, ad Alessandria, ma per cause naturali e senza aver mai partecipato a un safari. In generale la cristianità ha avuto con i leoni rapporti trascurabili, ed è logico, visto che i leoni abitavano fuori della sua sfera, esclusivamente in Africa, e nei deserti per giunta. Questa circostanza, com'è ovvio, contribuì a farne i compagni dei padri del deserto; a parte questo, i cristiani avrebbero incontrato l'animale solo quando diventarono un ingrediente del suo regime alimentare, nei circhi romani, dove leoni d'importazione arrivavano dai lidi africani per divertire il pubblico. Fu il loro esotismo – per meglio dire, la loro non-esistenza – a sbrigliare la fantasia degli antichi, inducendoli ad attribuire all'animale vari aspetti metafisici, e in particolare un intenso commercio col divino. Non è quindi del tutto irragionevole che questo animale sia accampato sulle facciate veneziane nel ruolo, piuttosto bizzarro, di custode dell'eterno riposo di San Marco; se non la Chiesa, la città stessa potrebbe essere vista come una leonessa che protegge il suo cucciolo. E poi, in questa città, la Chiesa e lo Stato si sono fusi in un abbraccio perfettamente bizantino. È l'unico caso, devo aggiungere, in cui una fusione del genere si sia risolta ben presto a vantaggio dei sudditi. Non stupisce, alla fine, che la città abbia avuto, letteralmente, la parte del leone, e che il leone stesso pur conservando tutta la sua maestà, sia stato umanizzato. Su ogni cornicione, quasi sopra ogni ingresso, si può vedere il suo muso con uno sguardo umano oppure una testa umana con lineamenti leonini. L'uno e l'altra, in definitiva, meritano il nome di mostri (sia pure di una specie benigna), perché non sono mai esistiti; e anche per la loro superiorità numerica su ogni altra immagine scolpita o incisa, comprese quelle della Madonna o del Redentore stesso. D'altra parte, è più facile fare una figura d'animale che una figura umana. In sostanza il regno animale non ha avuto molta fortuna nell'arte cristiana − e neanche nella dottrina, del resto. Così tutti questi *Felidae* possono pensare di essere qui a prendersi la rivincita, a rialzare le sorti del loro regno. D'inverno, portano un po' di luce nel nostro crepuscolo.

35

Una volta, mentre il crepuscolo incupiva le pupille grigie ma accendeva d'oro quelle della

varietà senape- e- miele, ero con la proprieta-
ria di questa particolare varietà di pupille
quando c'imbattemmo in una nave da guerra egiziana, un incrociatore leggero, per essere precisi, ormeggiato alle Fondamenta del-
l'Arsenale, presso i Giardini. Non ne ricordo
il nome, adesso, ma il porto di provenienza
era sicuramente Alessandria. Era quanto di
più moderno in fatto di ferraglia navale, brulicante d'ogni sorta di antenne, radar, lancia-
razzi, torrette contraeree, eccetera, senza contare i soliti cannoni di grosso calibro. Da lontano non si poteva distinguerne la naziona-
lità. Anche da vicino si restava in dubbio, perché le uniformi e il contegno complessivo del-
l'equipaggio avevano qualcosa di vagamente
britannico. La bandiera era già ammainata,
e sopra la Laguna il cielo passava dal bordeaux al colore del porfido scuro. Mentre ci
domandavamo di che natura fosse mai la missione che aveva portato fin lì quella nave da
guerra − necessità di riparazioni? un nuovo
idillio tra Venezia e Alessandria? una mossa
per rivendicare la santa reliquia trafugata nel
nono secolo? −, gli altoparlanti di bordo si
svegliarono all'improvviso, e udimmo: «Allah!
Akbar Allah! Akbar!». Il muezzin chiamava l'e-
quipaggio alla preghiera serale, e i due albe-
ri della nave si trasformavano temporanea-
mente in minareti. Tutt'a un tratto l'incrociatore assumeva il profilo di Istanbul. Mi sembrò che la carta geografica si fosse ripiegata
di colpo, che il libro della storia si chiudesse
davanti ai miei occhi, o almeno che si accor-

ciasse di sei secoli: il cristianesimo cessava di
essere più vecchio dell'Islam. Il Bosforo si so-
vrapponeva all'Adriatico, le onde si accaval-
lavano, ed era impossibile distinguere un'onda dall'altra. Non si poteva più parlare di architettura.

36

In certe sere d'inverno il mare, incalzato dal
vento contrario di levante, riempie ogni canale come una vasca da bagno, fino all'orlo,
e a volte trabocca. È un allagamento che non
provoca le urla dell'inquilino del piano di sotto, perché non c'è un piano di sotto. La città
si ritrova con l'acqua alle caviglie, e le imbar-
cazioni, «legate ai muri come animali» (per
citare Cassiodoro), s'impennano. La scarpa
del pellegrino, dopo essersi avventurata nel-
l'acqua, si sta asciugando sul radiatore della
sua camera d'albergo; il veneziano si tuffa nelle profondità del proprio armadio per pesca-
re un paio di stivali di gomma. «Acqua alta»
dice una voce alla radio, e il traffico umano
ha una pausa. Le strade si vuotano, negozi,
bar, ristoranti e trattorie chiudono i batten-
ti. Soltanto le loro insegne restano accese, li-
bere finalmente di esibirsi in un numero narcisistico, mentre il selciato ha la soddisfazio-
ne di mettersi alla pari, momentaneamente
e superficialmente, con i canali. Le chiese invece rimangono aperte, ma quella di cammi-

nare sull'acqua non è una novità per il clero, né per i parrocchiani. E neanche per la musica, che è gemella dell'acqua.

Diciassette anni fa, mentre guazzavo a zonzo da un campo all'altro, un paio di stivali verdi, di gomma, mi portò sulla soglia di un edificio rosa, non tanto grande. Una lapide diceva che Antonio Vivaldi, nato prematuro, era stato battezzato in quella chiesa. Avevo ancora i capelli discretamente rossi, a quel tempo; e mi commosse l'idea di essermi imbattuto nel luogo del battesimo di quel «prete rosso» che mi ha dato tanta gioia in tante occasioni e in tante parti del mondo dimenticate da Dio. E mi sembrò di ricordare che era stata Olga Rudge a organizzare la prima settimana vivaldiana in questa città – e, guarda caso, proprio mentre stava per scoppiare la seconda guerra mondiale. I concerti, mi avevano detto, si tenevano nel palazzo della contessa Polignac, e Olga Rudge suonava il violino. Mentre era impegnata nell'esecuzione di un brano, notò con la coda dell'occhio un signore che entrava nel salone e restava in piedi accanto alla porta, perché tutti i posti erano occupati. Il brano era lungo, e lei era un po' preoccupata perché si stava avvicinando un passaggio in cui doveva voltare la pagina senza interrompersi. Quel signore, nella coda dell'occhio, cominciò a muoversi, finché scomparve dal campo visivo della violinista. Quel passaggio era sempre più vicino, il nervosismo sempre più grande. Ma ecco, nel preciso istante in cui lei avrebbe dovuto voltare la pagina, una mano affiorò da sinistra, si allungò verso il leggio e girò lentamente la pagina. Così lei continuò a suonare, e quando ebbe superato quel passaggio difficile alzò gli occhi verso sinistra per esprimere la sua riconoscenza. «E così» raccontava Olga Rudge a un mio amico «ebbi il mio primo incontro con Stravinskij».

37

Nulla ti impedisce di entrare o di stare lì in piedi sino alla fine della funzione. Le voci dei cantori saranno un po' smorzate, presumibilmente a causa delle condizioni atmosferiche. Se questa giustificazione è buona per te, lo sarà, senza dubbio, per il Destinatario. E poi, che la funzione sia in italiano o in latino, non riesci a seguirla troppo bene. Così te ne stai lì in piedi, o vai a sederti su uno degli ultimi banchi, e ascolti. «Il modo migliore per ascoltare la Messa» diceva Wystan Auden «è non conoscere la lingua». È vero, in questi casi l'ignoranza favorisce il raccoglimento, e così pure la scarsa illuminazione che fa soffrire il pellegrino in ogni chiesa italiana, specialmente in inverno. Quando è in corso la funzione, non sta bene infilare monete nella cassetta che accende le luci. Per giunta, capita spesso di non avere in tasca le monete necessarie per apprezzare un quadro in tutti i particolari. In altri tempi mi portavo dietro una potente torcia elettrica, di quelle in dotazione al New York-City-Police-Department. Un modo per far soldi, pensavo, sarebbe quello di fabbricare *flash* di lunga durata, in miniatura, come quelli per le macchine fotografiche. Lo chiamerei «Il lampo che non si spegne» o, meglio ancora, «Fiat Lux», e in un paio d'anni mi comprerei un appartamento dalle parti di San Lio o alla Salute. Potrei persino sposare la segretaria del mio socio; già, ma lui non ha una segretaria, perché lui non esiste... La musica si spegne in decrescendo; in compenso va crescendo la sua gemella, e te ne accorgi nel tornare all'aperto: non di molto, ma quanto basta perché tu ti senta rimborsato per il tono dimesso del coro. Perché anche l'acqua è coro, è corale, in più di un senso. È la stessa acqua che ha portato i crociati, i mercatanti, le reliquie di san Marco, i turchi, galee, galeoni, galeotte, galeazze, navi da carico, da guerra, da diporto; e, soprattutto, ha riflesso l'immagine di chiunque abbia vissuto o anche solo soggiornato in questa città, di chiunque sia andato a zonzo o a guado per queste strade, come tu stai facendo adesso. Non stupisce che di giorno si colori di verde, come il fango, e diventi nera come la pece di notte, quando fa concorrenza al firmamento. È un miracolo che, dopo essere stata accarezzata e strapazzata per oltre un millennio, non abbia falle, sia ancora H_2O − ma è meglio non berla −, riesca ancora ad alzarsi. Fa pensare davvero alla carta da musica, ai fogli di una musica eseguita in continuazione: le partiture si avvicendano come ondate di marea, le barre del pentagramma sono i canali con gli innumerevoli «legati» dei ponti, delle lunghe finestre o dei curvi fastigi delle chiese di Codussi, per non parlare dei violini che hanno prestato il manico alle gondole. Sì, tutta la città somiglia a un'immensa orchestra, specialmente di notte, con i leggii appena illuminati dei palazzi, con un coro instancabile di onde, col falsetto di una stella nel cielo invernale. La musica, s'intende, è ancora più grande dell'orchestra; e non c'è mano che possa voltare il foglio.

38

È proprio questo a preoccupare l'orchestra o, più esattamente, i suoi direttori, i notabili della città. Secondo i loro calcoli la città si è abbassata di ventitré centimetri solo nel corso di questo secolo. Quello che all'occhio del turista appare uno spettacolo grandioso è un tremendo mal di testa per il veneziano. E se fosse soltanto un mal di testa, niente di grave. Ma a complicare il mal di testa c'è l'apprensione crescente − per non chiamarla paura − che per la città possa essere in serbo il destino di Atlantide. La paura non è infondata, se non altro perché la città è talmente unica da rappresentare di per sé tutta una civiltà. Si pensa che il pericolo principale venga dalle maree invernali, dall'acqua alta; il resto viene dall'industria e dall'agricoltura della terraferma, che riversano nella Laguna i loro rifiuti chimici, e dal deterioramento dei canali, sempre più intasati. Nel mio genere di lavoro, però, si è portati a credere, fin dal tempo dei romantici, che la colpa umana sia la vera responsabile, più di ogni calamità naturale. Per parte mia, obbedendo a impulsi tirannici, installerei delle chiuse per arginare il mare dell'umanità, che nell'ultimo ventennio si è gonfiato di altri due miliardi di individui e sulla cui superficie galleggiano tutti i rifiuti. Congelerei l'industria e la popolazione nella fascia di trenta chilometri lungo la sponda settentrionale della Laguna, draghererei e bonificherei i canali urbani (questa operazione l'affiderei all'esercito, oppure paghererei il doppio le aziende locali), vi immetterei tanti pesci e tanti batteri del tipo giusto, fatti apposta per tenerli puliti.

Non so assolutamente quali siano i pesci e i batteri giusti, ma giurerei che esistono. Raramente la tirannia è sinonimo di competenza. In ogni caso, telefonerei in Svezia e chiederei consiglio alla municipalità di Stoccolma: in quella città, con tutta la sua popolazione e tutta la sua industria, non fai in tempo a uscire dal tuo albergo che un salmone schizza fuori dall'acqua e ti saluta. Se tutto dipende dalla differenza di temperatura, si potrebbe provare a scaricare nei canali tanti blocchi di ghiaccio, oppure, come seconda soluzione, a prelevare periodicamente tutti i cubetti di ghiaccio dei frigoriferi veneziani, vi-

he qui il whisky non è tanto in auge, nem-
ᴏ in inverno.

«Sɪ può sapere che cosa vai a farci in quella
stagione?» mi sono sentito chiedere una volta dal mio *editor*. Eravamo in un ristorante ci-
nese di New York, con un manipolo di garruli inglesi affidati alle sue cure che subito fecero eco al loro potenziale benefattore: «Ma
sì, che cosa c'è di speciale, laggiù, in inverno?». Fui tentato di parlare dell'acqua alta;
delle varie gradazioni di grigio che sfilano alla
finestra mentre si fa colazione in albergo, av-
volti dal silenzio e dalla tetraggine mattutina
degli sposi in viaggio di nozze; dei colombi
che nella loro latente inclinazione per l'architettura accentuano ogni curva e ogni cornicione del barocco; di un solitario monumen-
to a Francesco Querini e ai suoi due cani da
slitta, scolpito in pietra d'Istria − la sfumatura della pietra, penso, deve avere qualcosa
in comune con ciò che egli vide prima di chiudere gli occhi nel suo sfortunato viaggio verso il Polo Nord −, povero Francesco, che a-
desso, laggiù ai Giardini, non lontano da Wagner e Carducci, ascolta lo stormire dei sem-
preverdi; di un passero coraggioso che si posa
sulla lama ondeggiante di una gondola sullo
sfondo di un umido infinito battuto dallo scirocco. No, pensai guardando quelle facce
esangui ma piene di curiosità; no, non è una
risposta che possa andare. «Be',» dissi «è qualcosa come Greta Garbo, al bagno».

39

In tutti questi anni, in questa serie di lunghe
soste e brevi soggiorni, credo di essere stato
felice e infelice quasi in uguale misura. Non
aveva molta importanza, del resto, se non altro perché io venivo qui non per scopi romantici, ma per lavorare, per finire un pezzo, per
tradurre, per scrivere qualche poesia, sempre
che la fortuna mi assistesse; semplicemente,
per esserci. In altre parole, non per una luna
di miele (l'unica volta che ci andai vicino fu
molti anni fa, nell'isola d'Ischia e a Siena), e
nemmeno per un divorzio. E così ho lavorato. La felicità o l'infelicità venivano al seguito, per conto loro, anche se qualche volta si
fermavano più di me, come se mi aspettasse-
ro. È una virtù − ne sono convinto da un pezzo − non pascersi della propria vita emoti-
va. C'è sempre tanto lavoro da fare, senza contare che c'è tanto mondo fuori di noi. E poi
c'è sempre questa città. Fintanto che essa esiste, credo che non mi lascerò ipnotizzare o
abbagliare da tragedie romantiche; né io, né,
spero, qualcun altro. Ricordo un giorno − il
giorno in cui dovevo partire dopo aver trascorso un mese, da solo, in questa città. Avevo appena pranzato in una piccola trattoria
nell'angolo più remoto delle Fondamenta
Nuove: pesce alla griglia e mezza bottiglia di
vino. Con questo viatico nello stomaco, mi
misi in cammino per andare a ritirare le valigie e prendere un vaporetto. Camminai per
mezzo chilometro lungo le Fondamenta Nuo-

ve − un piccolo punto in movimento in quel gigantesco acquerello − e poi voltai a destra all'altezza dell'ospedale dei Santi Giovanni e Paolo. La giornata era calda, piena di sole, il cielo azzurro, tutto incantevole. E voltando le spalle alle Fondamenta e a San Michele, rasentando il muro dell'ospedale, quasi strusciandolo con la spalla sinistra e strizzando gli occhi per guardare il sole, ebbi all'improvviso una sensazione: Io sono un gatto. Un gatto che si è appena pappato un pesce. Se qualcuno mi rivolgesse la parola in questo momento, risponderei miagolando. Ero assolutamente, animalescamente felice. A distanza di dodici ore, com'è ovvio, dopo essere sbarcato a New York, incappai nel peggior guaio della mia vita, il peggiore possibile − o quello che allora sembrava tale. Ma il gatto dentro di me c'era ancora; non fosse stato per quel gatto, a quest'ora mi arrampicherei ai muri di qualche istituto per ospiti di lusso.

40

La sera, qui, non c'è molto da fare. Si può scegliere, certo, tra il teatro d'opera e i concerti in chiesa; ma sono cose che richiedono un po' di iniziativa e di preparativi: biglietti, orari e tutto il resto. Sono cose in cui non me la cavo molto bene; è quasi come prepararsi, da solo, un gran pranzo tutto per sé − e forse è anche peggio, si è più soli ancora. E poi, sono così fortunato che se per una sera mi propongo di andare alla Fenice il cartellone è occupato per tutta la settimana da Čajkovskij o Wagner – l'uno vale l'altro, per quanto riguarda la mia allergia. Mai una volta Donizetti o Mozart! Non resta che leggere o gironzolare a caso, due cose che più o meno si equivalgono, perché di notte queste stradine di pietra sono come i camminamenti tra gli scaffali di qualche immensa biblioteca dimenticata, e sono altrettanto tranquille. Tutti i «libri» sono ermeticamente chiusi, e puoi capire di che cosa trattano solo guardando i nomi sul loro dorso, sotto il campanello. Oh sì, può succederti di trovare lì i tuoi Donizetti e Rossini, i tuoi Lulli e Frescobaldi! Magari persino un Mozart, magari persino un Haydn. O forse queste strade sono come attaccapanni: tutti i capi appesi sono di stoffa scura, un po' lisa, ma la fodera ha il colore del rubino e scintilla come l'oro. Goethe chiamò questo posto una «repubblica di castori», ma forse Montesquieu andò più vicino al segno col suo perentorio «un endroit où il devrait n'y avoir que des poissons». E infatti, di tanto in tanto, dall'altra parte di un canale, due o tre grandi finestre ad arco ben illuminate, schermate a metà da organdis o tulle, rivelano un lampadario simile a un polipo, la pinna laccata di un pianoforte a coda, doviziose scaglie di bronzo intorno a quadri fulvi o rubescenti, la lisca dorata delle luci sul soffitto – e allora hai la sensazione di guardare dentro un pesce attraverso le sue squame, ed è un pesce che dà una festa.

Da una certa distanza — da una riva all'altra di un canale — non è facile distinguere gli ospiti dalla padrona di casa. Con tutto il rispetto per la migliore teoria disponibile, non credo proprio che un posto come questo abbia cominciato la sua evoluzione partendo soltanto da quel famoso cordato, trionfante o no. Sospetto e suggerisco che all'inizio della sua evoluzione vi sia stato l'elemento stesso che diede vita e ricetto a quel cordato e che, almeno per me, è sinonimo di tempo. L'elemento si presenta in molte forme e sfumature, con molte proprietà diverse, a prescindere da quelle di Afrodite e del Redentore: bonaccia, tempesta, onda, schiuma, increspatura, eccetera, per non parlare degli organismi viventi. Secondo me, questa città riunisce in sé tutti i modelli visibili dell'elemento e di ciò che vi è contenuto. Scrosciante, ruscellante, scintillante, fulgescente, iridescente, l'elemento si è proiettato in alto per tanto tempo che non stupisce che alla fine alcuni di questi aspetti abbiano acquistato massa e carne, e siano diventati solidi. Perché poi tutto questo dovesse avvenire proprio qui, non saprei dire. Presumibilmente perché l'elemento aveva sentito parlare italiano.

41

L'occhio è il più autonomo dei nostri organi. Lo è perché gli oggetti della sua attenzione si trovano inevitabilmente all'esterno. L'occhio non vede mai se stesso, se non in uno specchio. È l'ultimo a chiudere quando il corpo è colpito da paralisi, o è morto. L'occhio continua a registrare la realtà anche quando non vi è ragione apparente per farlo, e in tutte le circostanze. Ci si domanda perché, e la risposta è: perché l'ambiente è ostile. La vista è lo strumento di adattamento a un ambiente che rimane ostile anche quando si è arrivati al massimo grado di adattamento. L'ostilità dell'ambiente cresce in misura proporzionale alla lunghezza della nostra presenza nell'ambiente stesso, e non parlo soltanto della vecchiaia. In breve, l'occhio è sempre in cerca di sicurezza. Questo spiega la predilezione dell'occhio per l'arte in generale, e per l'arte veneziana in particolare. Questo spiega l'appetito dell'occhio per la bellezza, e l'esistenza stessa della bellezza. Perché la bellezza è sollievo, dal momento che la bellezza è innocua, è sicura. Non minaccia di ucciderti, non ti fa soffrire. Una statua di Apollo non morde, né morderà un cagnolino del Carpaccio. Quando non riesce a trovare bellezza – *alias* sollievo – l'occhio ordina al corpo di crearla o, in alternativa, lo adatta a cogliere il lato buono della bruttezza. Nel primo caso si affida al genio umano; nel secondo attinge al serbatoio di umiltà che è nell'uomo. L'umiltà abbonda, più del genio, e tende, come ogni maggioranza, a fare le leggi. Facciamo un esempio: prendiamo una fanciulla in fiore. A una certa età si tengono d'occhio le fanciulle senza un interesse strumentale, senza aspirare a possederle. Come un televisore rimasto acceso in un appartamento abbandonato, l'occhio continua a trasmettere immagini di tutti questi miracoli che gli passano davanti: altezza un metro e settanta, capelli castani chiari, ovali degni del Perugino, occhi da gazzella, seno da balia e vita da vespa, abiti di velluto verde scuro e tendini affilati come rasoi. Un occhio può inquadrarle in chiesa al matrimonio di qualcuno o, peggio ancora, in una libreria davanti allo scaffale della poesia. Grazie a una vista discreta o ricorrendo all'aiuto dell'orecchio, l'occhio può scoprire la loro identità (e vengono fuori nomi che ti lasciano senza fiato, come, diciamo, Arabella Ferri) e, ahimè, i loro desolanti impegni sentimentali. Senza curarsi dell'utilità di questi dati, l'occhio continua a raccoglierli. Anzi, quanto più inutili sono i dati, tanto più l'immagine è messa a fuoco. Ci si domanda perché, e la risposta è: perché la bellezza è sempre esterna, la bellezza è un'eccezione alla regola. Ed è questo − la sua ubicazione e la sua singolarità − che imprime all'occhio le più pazze oscillazioni o ne fa un cavaliere errante. Perché la bellezza è là dove l'occhio riposa − nella bellezza l'occhio ha la sua pace, per parafrasare Dante. Il senso estetico è gemello dell'istinto di conservazione ed è più attendibile dell'etica. L'occhio − principale strumento dell'estetica − è assolutamente autonomo. Nella sua autonomia è inferiore soltanto a una lacrima.

In questa città si può versare una lacrima in diverse occasioni. Posto che la bellezza sia una particolare distribuzione della luce, quella più congeniale alla retina, una lacrima è il modo con cui la retina − come la lacrima stessa − ammette la propria incapacità di trattenere la bellezza. In generale, l'amore arriva con la velocità della luce; la separazione, con quella del suono. Ciò che inumidisce l'occhio è questo deterioramento, questo passaggio da una velocità superiore a una inferiore. Poiché siamo esseri finiti, una partenza da questa città sembra ogni volta definitiva; lasciarla è un lasciarla per sempre. Perché con la partenza l'occhio viene esiliato nelle province degli altri sensi: nel migliore dei casi, nelle crepe e nei crepacci del cervello. Perché l'occhio non s'identifica col corpo, ma con l'oggetto della propria attenzione. E per l'occhio la partenza è un processo speciale, legato a ragioni puramente ottiche: non è il corpo a lasciare la città, è la città ad abbandonare la pupilla. Allo stesso modo il commiato dalla persona amata provoca dolore, e soprattutto un commiato graduale, chiunque sia a partire e per qualsiasi motivo. Nel mondo in cui viviamo, questa città è il grande amore dell'occhio. Dopo, tutto è delusione. Una lacrima anticipa quello che sarà il futuro dell'occhio.

Non c'è dubbio, tutti hanno qualche mira su di lei, su questa città. Specialmente i politici e i grossi interessi, perché nulla come il denaro ha davanti a sé un grande futuro. Tanto è vero che il denaro si sente sinonimo del futuro e tenta di programmarlo. Scorrono fiumi di parole sull'urgenza di ridar vita alla città, di trasformare tutto il Veneto in un'anticamera dell'Europa centrale, di mettere in orbita l'industria della regione, di allargare il complesso portuale di Marghera, di aumentare il traffico delle petroliere nella Laguna e perciò di abbassare i fondali della Laguna, di convertire l'Arzanà immortalato da Dante in un equivalente del Beaubourg per farne il magazzino del ciarpame internazionale di più recente creazione, di ospitarvi un'Expo nell'anno 2000, eccetera, eccetera. Tutte queste ciacole sgorgano normalmente dalla stessa bocca — e magari senza soluzione di continuità — che blatera di ecologia, salvaguardia, riassetto, patrimonio culturale e quant'altro. Lo scopo è sempre lo stesso: stupro. Non c'è stupratore, però, che voglia passare per tale o, tanto meno, farsi cogliere sul fatto. Da qui la commistione di obiettivi e metafore, di sublime retorica e lirico fervore, che gonfia i poderosi toraci degli onorevoli come quelli dei commendatori.

Benché questi personaggi siano di gran lunga più pericolosi dei turchi, degli austriaci e di Napoleone messi insieme, ben poco è cambiato nei diciassette anni in cui ho frequentato questa città. Ciò che salva Venezia, come Penelope, dai suoi spasimanti è la loro rivalità, la natura concorrenziale del capitalismo, che si è tradotta in rapporti di sangue tra i cani grossi e i diversi partiti politici. Un'arte in cui la democrazia riesce magnificamente è quella di infilare bastoni tra le ruote altrui; e poi, in Italia, il gioco della cavallina tra un governo e l'altro si è rivelato la miglior polizza d'assicurazione per questa città. E così pure il mosaico del *puzzle* politico locale. Non ci sono più dogi, e gli ottantamila abitanti di queste centodiciotto isole sono guidati non già dalla grandezza di qualche visione particolare, bensì dai loro interessi immediati e spesso miopi, dal loro desiderio di sbarcare il lunario. Qui, però, la lungimiranza sarebbe controproducente. In un posto di queste dimensioni venti o trenta disoccupati sono la grande preoccupazione momentanea del consiglio comunale, e già questo − senza contare l'innata diffidenza di un'isola verso la terraferma − prepara un'atmosfera poco favorevole ai progetti che vengono dalla terraferma, per mirabolanti che siano. Le promesse di lavoro per tutti e di crescita possono far colpo altrove, ma non vanno molto lontano in una città che ha un perimetro di appena una dozzina di chilometri e che non ha mai superato, nemmeno all'apogeo delle sue fortune marittime, le duecentomila anime. Sono prospettive che possono eccitare un bottegaio o magari un medico; un impresario di pompe funebri, però, avrebbe qualcosa da eccepire, visto che i cimiteri locali sono tutti esauriti e ai defunti si dovrebbe trovare ormai un posto sulla terraferma. In ultima analisi, la terraferma è quello che ci vuole per fermarsi. Se però quell'impresario e quel medico appartenessero a partiti politici diversi, sarebbe un vantaggio, si potrebbe fare qualche passo avanti. In questa città i due appartengono spesso allo stesso partito, e tutto si blocca rapidamente, anche se il partito è il PCI. In breve, sotto tutte queste diatribe, involontarie o no, c'è una semplicissima verità: le isole non crescono. È un piccolo particolare che il denaro − *alias* il futuro, *alias* politici volubili e cani grossi − non riesce ad afferrare. Quel che è peggio, costoro si sentono sfidati da questa città, perché la bellezza, che è un *fait accompli* per definizione, sfida sempre il futuro, nel quale non vede nient'altro che un presente sfiorito, impotente. La riprova migliore è l'arte moderna, che è profetica solo in quanto è povera. Un povero testimonia sempre a favore del presente. Forse la sola funzione di raccolte come quella di Peggy Guggenheim e delle analoghe radunate di roba contemporanea che vengono abitualmente allestite in questa città è di mostrare che razza di gente siamo diventati, che gente meschina, arrogante, ingenerosa, unidimensionale; e di istillare in noi un po' di umiltà. Non si può pensare a un esito diverso, sullo sfondo di questa Penelope di una città, che tesse le sue trame di giorno e le disfa di notte, senza che ci sia un Ulisse all'orizzonte. Soltanto il mare.

44

Credo sia stato Hazlitt a dire che l'unica cosa che potrebbe superare questa città d'acqua sarebbe una città costruita nell'aria. Era un'idea degna di Calvino, e chi sa, nella scia dei viaggi spaziali, qualcosa di simile può ancora succedere. Allo stato delle cose, e a prescindere dallo sbarco sulla Luna, il nostro secolo si assicurerebbe un ottimo titolo per essere ricordato se lasciasse intatto questo posto, se lasciasse le cose come sono. Per conto mio sconsiglierei ogni interferenza, anche la più delicata. Certo, le mostre del cinema e le fiere del libro sono in tono col tremolare iridescente della superficie dei canali, con i loro scarabocchi arricciolati su cui indugia un lettore chiamato scirocco. E, certo, l'idea di trasformare questo posto in una capitale della ricerca scientifica è una soluzione accettabile, specialmente se si considerano i probabili vantaggi che ogni sforzo mentale trarrebbe da una dieta come quella veneziana, così ricca di fosforo. Si potrebbe usare la stessa esca per ottenere il trasferimento della sede

93

della CEE da Bruxelles e del Parlamento europeo da Strasburgo. E, certo, meglio ancora sarebbe attribuire a questa città e a una parte del circondario lo statuto di parco nazionale. Vorrei invece far notare che l'idea di trasformare Venezia in un museo è tanto assurda quanto quella di rianimarla con l'immissione di sangue nuovo. Intanto, quello che passa per sangue nuovo è sempre, alla fine, soltanto orina vecchia. E poi, questa città non ha gli attributi per essere un museo, essendo lei stessa un'opera d'arte, il capolavoro più grande che la nostra specie abbia prodotto. Non rianimi un dipinto, tanto meno una statua: li lasci in pace, li difendi contro i vandali − contro orde di cui tu stesso, forse, fai parte.

45

Le stagioni sono metafore dei continenti disponibili, e l'inverno è sempre un po' Antartico, persino qui. La città non ricorre più al carbone con la larghezza di un tempo: adesso è l'ora del gas. I magnifici camini a forma di tromba, simili a torrette medioevali messe lì a fare da fondale a ogni Madonna e a ogni Crocifissione, se ne stanno in ozio e a poco a poco si sgretolano fino a scomparire dal paesaggio. Il risultato è che batti i denti e vai a letto con le calze di lana, perché anche negli alberghi le caldaie hanno orari stravaganti. Soltanto l'alcol può assorbire la folgore polare che ti attraversa tutto il corpo quando posi il piede sul pavimento di marmo; e non ci sono pantofole, non ci sono scarpe che ti salvino. Se lavori di sera, consumi interi partenoni di candele – non per avere una cornice romantica o un po' più di luce, ma per il loro illusorio calore; oppure ti trasferisci in cucina, accendi i becchi del gas e chiudi la porta. Tutto emana freddo, specialmente i muri. Alle finestre non ci fai caso, perché sai che cosa puoi aspettartene. Infatti lasciano semplicemente passare il freddo, mentre i muri lo immagazzinano. Ricordo di aver trascorso una volta il mese di gennaio in un appartamento al quinto piano, in una casa vicina a Santa Maria della Fava. Il proprietario era un discendente, niente meno, di Ugo Foscolo. Era un tecnico forestale o qualcosa di simile, assente per ragioni di lavoro. L'appartamento non era tanto grande: due stanze, e ammobiliate con molta sobrietà. Il soffitto però era straordinariamente alto, e le finestre si adeguavano: sei o sette finestre, trattandosi di un appartamento d'angolo. A metà della seconda settimana il riscaldamento saltò. Questa volta non ero solo, e la mia compagna d'armi e io tiravamo a sorte chi dovesse dormire contro il muro. «Perché devo essere sempre io a finire al muro?» diceva lei fin dal principio. «Forse perché sono una vittima?». E i suoi occhi senape-e-miele si rabbuiavano d'incredulità, perché perdeva regolarmente. S'infagottava nella sua tenuta da notte — maglione di lana rosa, sciarpa, calzini, calze lunghe —, contava «uno, due, tre!» e si tuffava nel letto come in un fiume tenebroso. Per lei, italiana, romana, con uno spruzzo di sangue greco nelle vene, è probabile che fosse davvero un fiume tenebroso. «L'unico punto in cui non vado d'accordo con Dante» faceva notare «è il modo in cui descrive l'Inferno. Per me l'Inferno è freddo, freddissimo. Io converrei i cerchi, ma li farei tutti di ghiaccio, con la temperatura che scende a ogni giro. L'Inferno è l'Artico». E non lo diceva per scherzo. Con la sciarpa intorno al collo e sulla testa, somigliava al povero Francesco Querini di quella statua, o al famoso busto del Petrarca (il quale a sua volta, per me, è il ritratto sputato di Montale — o viceversa, piuttosto). Non c'era telefono, in quell'appartamento, e una selva di camini, un'intera famiglia di flicorni, montava la guardia nel cielo notturno. Tutta la scena aveva una certa aria di fuga in Egitto: lei faceva insieme la parte della Madonna e quella del Bambino, io quella del mio omonimo e quella dell'asino; dopo tutto, era gennaio. «Tra Erode e il Faraone del futuro» continuavo a dire tra me. «Tra Erode e il Faraone, ecco dove siamo». Alla fine mi ammalai. Colpa del freddo e dell'umidità — o, piuttosto, dei muscoli e dei nervi messi a soqquadro dai chirurghi. Il cardiopatico che è in me si prese una gran paura, e lei in qualche modo mi caricò sul treno per Parigi, perché né lei né io ci fidavamo granché degli ospedali veneziani, nonostante la mia adorazione per la facciata dei Santi Giovanni e Paolo. Il vagone era caldo, la testa mi andava a pezzi per via delle pillole di nitroglicerina, nello scompartimento una squadra di bersaglieri festeggiava la licenza con vino rosso e una radio scassatimpani. Non ero tanto sicuro di farcela fino a Parigi, ma alla paura s'inframmezzava ben chiara una sensazione: sì, se ce la facevo, nulla mi avrebbe impedito di ritornare subito − be', l'anno dopo − in quel gelido posto tra Erode e il Faraone. Anche allora, raggomitolato sul sedile scomodo del mio scompartimento, ero pienamente consapevole dell'assurdità di quella sensazione, ma fintanto che mi aiutava a superare la paura, benedetta l'assurdità. Lo strepitio delle ruote e l'effetto delle continue vibrazioni della vettura sulla mia carcassa fecero il resto, suppongo, rimettendo ordine, o aumentando il disordine, nei muscoli, nervi, eccetera. O magari fu semplicemente il riscaldamento, che lì, nella vettura, funzionava. Fatto sta che arrivai a Parigi, l'elettrocardiogramma risultò discreto, e presi il mio aeroplano per gli Stati Uniti. In altre parole, ne uscii vivo: per raccontare la storia e perché la storia si ripetesse.

46

«L'Italia» diceva Anna Achmatova «è un sogno che continua a ripresentarsi per il resto della vita». Va notato, però, che l'orario di arrivo dei sogni è irregolare e che la loro interpretazione fa sbadigliare. Inoltre, se mai si dovessero catalogare i sogni tra i generi letterari, il loro principale ingrediente stilistico sarebbe l'incoerenza. Questa potrebbe essere almeno una giustificazione per tutto ciò che è venuto fuori finora in queste pagine. E questo potrebbe anche spiegare i miei tentativi − nel corso di tutti questi anni − di garantirmi il ripetersi di questo sogno, anche a costo di infliggere feroci maltrattamenti al mio super-ego non meno che al mio inconscio. Per dirla senza mezzi termini, sono stato io a ripresentarmi continuamente al sogno, piuttosto che il contrario. Certo, prima o poi dovevo pagare per questa forma di violenza, o erodendo ciò che costituiva la mia realtà o costringendo il sogno ad assumere sembianze mortali, come fa l'anima nel corso dell'esistenza umana. Ho pagato, infatti, in entrambi i modi; e non mi sono pesati granché né il primo né il secondo, meno che mai il secondo, che prendeva la forma di una Cartavenezia (data di scadenza gennaio 1988) nel mio portafogli, di lampi di rabbia negli occhi di quella particolare varietà (che si posano ormai, e a partire dalla stessa data, su viste migliori), o di cose altrettanto concrete e «finite». La realtà è quella che ha sofferto di più, e spesso mi è accaduto di riattraversare l'Atlantico, nel viaggio di ritorno, con la precisa sensazione di passare dalla storia all'antropologia. Nonostante tutto il tempo, il sangue, l'inchiostro, il denaro e il resto che ho lasciato o scialato qui, non ho mai potuto dire in maniera convincente, neanche a me stesso, di avere acquisito qualche tratto locale, di essere diventato, sia pure in misura minima, un veneziano. Non contava il vago sorriso con cui un albergatore o il proprietario di una trattoria mostravano di riconoscermi; e nessuno si lasciava ingannare dai vestiti che avevo comprato sul posto. A poco a poco sono diventato un cliente di passaggio, sull'uno e sull'altro versante, nella realtà come nel sogno; e ciò che forse mi affligge un po' di più è il fatto di non aver saputo persuadere il sogno della mia presenza sul suo versante. Questa, ovviamente, era una sensazione familiare. Ma suppongo che si possa comunque parlare di fedeltà quando un uomo ritorna sul luogo del proprio amore, anno dopo anno, nella stagione sbagliata, senza nessuna garanzia di essere riamato. Perché, come ogni virtù, la fedeltà ha valore solo fintanto che è istintiva o idiosincratica, piuttosto che razionale. E poi, a una certa età, e quando si fa un certo genere di lavoro, essere riamati non è strettamente indispensabile. L'amore è un sentimento disinteressato, una strada a senso unico. Ecco perché è possibile amare certe città, l'architettura di per sé, la musica, poeti defunti o, quando c'è una particolare disposizione d'animo, una divinità. Perché l'amore è una *liaison* tra un riflesso e il suo oggetto. È questo, in definitiva, che ti riporta a questa città − al modo che la marea porta l'Adriatico e, per estensione, l'Atlantico e il Baltico. In ogni caso, gli oggetti non fanno domande: fintanto che esiste l'elemento, il loro riflesso è garantito − sotto forma di un viaggiatore che ritorna o sotto forma di un sogno, perché un sogno è la fedeltà dell'occhio chiuso. È quel tipo di fiducia che manca alla nostra specie, anche se in parte siamo fatti d'acqua.

47

Se mai si dovesse catalogare il mondo tra i generi, il suo principale ingrediente stilistico sarebbe senza dubbio l'acqua. Se le cose stanno diversamente, sarà perché nemmeno l'Onnipotente deve avere molte alternative, o perché il pensiero stesso ha la trama dell'acqua. Come del resto la scrittura; come le emozioni, come il sangue. I liquidi hanno la proprietà di riflettere, e anche in un giorno di pioggia possiamo sempre dimostrare, andando a metterci dietro un vetro, che la nostra fedeltà è superiore a quella del vetro. Questa città ci lascia senza fiato in ogni momento, anche col variare delle condizioni meteorologiche, che poi possono variare solo entro un campo piuttosto limitato. E se noi siamo parzialmente sinonimi dell'acqua, che è totalmente sinonimo del tempo, il sentimento che proviamo verso questo posto migliora il futuro, contribuisce a quell'Adriatico o a quell'Atlantico del tempo che immagazzina i nostri riflessi per quando noi saremo scomparsi da un pezzo. Da questi riflessi, come da gualcite fotografie color seppia, il tempo riuscirà forse a comporre, come se si trattasse di un collage, una migliore versione del futuro, migliore di quanto sarebbe senza di loro. In questo senso si è veneziani per definizione, perché laggiù, nel suo equivalente dell'Adriatico, dell'Atlantico o del Baltico, il tempo-*alias*-acqua raccoglie i nostri riflessi − *alias* amore per questo posto − e li lavora all'uncinetto o ai ferri fino a trasformarli in trame irripetibili − quasi come fanno le vecchie appassite e vestite di nero su ogni isola di questo litorale, tutte assorte a consumarsi gli occhi sui loro merletti. Sì, perdono la vista o il lume della ragione prima di arrivare ai cinquant'anni, ma il loro posto è preso dalle figlie e dalle nipoti. Tra le mogli dei pescatori le Parche possono sempre trovare un posto senza bisogno di mettere inserzioni sui giornali.

48

La gente del luogo non va in gondola: è la cosa che non fa mai. Tanto per cominciare, una corsa in gondola costa cara. Possono permettersela soltanto i turisti stranieri, ma quelli facoltosi. Questo spiega l'età media dei passeggeri che si vedono sulle gondole: un settantenne può scucire senza batter ciglio un decimo del suo stipendio di insegnante. La vista di questi Romei decrepiti e delle loro Giuliette in menopausa è invariabilmente triste e imbarazzante, per non dire sinistra. Per i giovani, cioè per coloro ai quali una cosa del genere sarebbe intonata, una gondola è tanto inaccessibile quanto un albergo a cinque stelle. L'economia riflette la demografia, d'accordo; ma la cosa è doppiamente triste, perché la bellezza, invece di promettere il mondo, è ridotta a esserne la mercede. Tra parentesi, è questo a spingere i giovani verso la natura, dove tutto si può gustare gratis (o a buon mercato, per essere precisi) e tutto è esente − cioè immune − dai significati e dalle invenzioni presenti nell'arte o nell'artificio. Un paesaggio può essere eccitante, ma la facciata di un Lombardo ti dice dove puoi arrivare. Ci sono molti modi per guardare le facciate, e salendo su una gondola si sceglie il modo autentico, quello originale: così puoi vedere quello che vede l'acqua. Certo, nulla potrebbe essere più lontano dai pensieri della gente del posto, affaccendata a correre di qua e di là nei suoi impegni quotidiani, del tutto indifferente o addirittura allergica allo splendore che la circonda. Tutt'al più, per quello che riguarda l'uso della gondola, la gente si fa traghettare da una riva all'altra del Canal

Grande o ci carica un acquisto ingombrante
— qualche sedia, diciamo, o una lavatrice —
da portare a casa. Ma non sono queste le occasioni in cui un traghettatore o il proprietario di una barca si metterebbe a cantare *'0
sole mio*. Forse l'indifferenza delle persone del
posto riproduce quella dell'artificio verso il
proprio riflesso. Potrebbe essere, questo, il
loro argomento decisivo contro l'uso della
gondola; ma ad esso si potrebbe ribattere con
l'offerta di una gita in gondola di notte. È
un'offerta alla quale una volta non ho potuto resistere.
Era una notte di luna, fredda e tranquilla. Sulla gondola eravamo in cinque, comprenden-
do il proprietario, un ingegnere del posto, che
per tutto il tempo, insieme alla sua ragazza,
pensò al remo. La gondola si mosse su e giù,
a zig-zag, come un'anguilla, attraverso la città silenziosa che incombeva sopra le nostre
teste, cavernosa e deserta, simile, a quell'ora
così tarda, a un'immensa scogliera corallina
più o meno rettangolare oppure a una successione di grotte disabitate. Era una sensazione tutta particolare: trovarsi in movimento dentro quegli stessi canali che di solito lo
sguardo scavalca per passare da una riva al-
l'altra; era come acquistare una dimensione
in più. Ben presto ci affacciammo nella Laguna, diretti verso l'isola dei morti, San Michele. La luna, straordinariamente alta e sottile, simile a una enigmatica «t» per via di una
nuvola che la incrociava, lasciava appena una
traccia sulla superficie dell'acqua; e la gondola

scivolava anch'essa senza il minimo rumore. C'era qualcosa di erotico, senza dubbio, nel trascorrere del suo agile corpo sull'acqua, senza rumore, senza traccia — qualcosa che somigliava molto allo scorrere della tua mano sulla pelle levigata di una donna. Erotico: perché non c'erano conseguenze, perché la pelle era infinita e pressoché immobile, perché la carezza era astratta. La gondola era forse un po' appesantita dalle nostre cinque presenze, e l'acqua cedeva momentaneamente sotto lo scafo solo per richiudere il varco dopo un secondo. Lo scafo, poi, governato da un uomo e da una donna, non era neppure mascolino. Era infatti un erotismo non di sessi ma di elementi, una perfetta unione delle loro superfici, entrambe lisce, laccate. La sensazione era neutra, quasi incestuosa, come se sotto i tuoi sguardi un fratello accarezzasse la sorella, o viceversa. Così girammo intorno all'isola dei morti e ritornammo verso Cannaregio. Le chiese, ho sempre pensato, dovrebbero restare aperte tutta la notte; o almeno dovrebbe quella della Madonna dell'Orto — non tanto in ricordo dell'ora probabile dell'estremo tormento dell'anima quanto per la meravigliosa Madonna col Bambino che vi è custodita. Avrei voluto sbarcare lì e dare un'occhiata al meraviglioso dipinto del Bellini, ai tre centimetri che separano il palmo sinistro della Madonna dal piede del Bambino. Quei tre centimetri — ah, molto meno! — sono la distanza che divide l'amore dall'erotismo. O forse lì è la punta estrema dell'erotismo. Ma la porta era chiusa, e noi proseguimmo in quella galleria di grotte, in quella miniera piranesiana, abbandonata, piatta, rischiarata dalla luna, con quel rado baluginare di minerale elettrico, fino al cuore della città. Comunque, adesso sapevo che cosa può significare per l'acqua essere accarezzata dall'acqua.

49

Sbarcammo presso la gabbia di cemento del Bauer Grünwald Hotel, ricostruito dopo la guerra sulle rovine dell'edificio che i partigiani avevano fatto saltare perché ospitava il comando tedesco. Come pugno nell'occhio, l'albergo fa buona compagnia alla chiesa di San Moisè — la facciata più laboriosa della città. A metterli insieme, fanno pensare a un Albert Speer seduto davanti a una pizza capricciosa. Non ci ho mai messo piede, né in quell'albergo né in quella chiesa, ma ho conosciuto un signore tedesco che soggiornava in quella struttura e la trovava *very comfortable*. Sua madre stava morendo mentre lui era lì in vacanza, e lui le parlava al telefono ogni giorno. Quando lei spirò, lui convinse la direzione a vendergli il ricevitore. La direzione fu comprensiva, e il ricevitore venne messo nel conto. Ma quel signore, con ogni probabilità, era un protestante, mentre San Moisè è una chiesa cattolica, senza contare che di notte è chiusa.

50

Quello era il posto giusto per sbarcare, essendo equidistante dai nostri rispettivi alloggi. Ci vuole circa un'ora per attraversare questa città a piedi, in qualsiasi direzione. A patto, si capisce, di conoscere la strada, ma io, al tempo di quella gita in gondola, ormai la conoscevo. Ci salutammo e ci disperdemmo. Mi avviai verso il mio albergo, stancamente, cercando di guardarmi attorno, borbottando tra me certi strani versi, ripescati Dio sa da dove, come «Saccheggiate questo villaggio» o «Questa città non merita pietà». Forse erano versi del primo Auden, ma no, non mi sembrava. A un tratto mi venne voglia di bere qualcosa. Voltai verso piazza San Marco sperando che il Florian fosse ancora aperto. Stava chiudendo; il personale era occupato a togliere le sedie dal portico e ad applicare le tavole di legno alle vetrine. Una breve trattativa col cameriere, che si era già cambiato per andare a casa ma che conoscevo di vista, ebbe il risultato voluto, e con quel risultato in mano uscii da sotto il portico e passai in rassegna le quattrocento finestre della piazza. C'era un deserto assoluto, non un'anima. Le finestre ad arco correvano nel solito ordine ossessionante, come onde idealizzate. Questo spettacolo mi ha sempre ricordato il Colosseo, dove, per usare le parole di un mio amico, qualcuno inventò l'arco e non riuscì più a fermarsi. «Saccheggiate questo villaggio» continuavo a borbottare tra me; «Questa città non merita...». La nebbia cominciò a inghiottire la piazza. Era un'invasione tranquilla, ma pur sempre un'invasione. Vidi le sue lance e alabarde avanzare in silenzio ma molto veloci, dalla parte della Laguna, come soldati a piedi che precedessero la loro cavalleria pesante. «In silenzio, e molto veloci» dissi a me stesso. Da un momento all'altro il loro re, Re Nebbia, poteva spuntare da dietro l'angolo in tutta la sua gloria caliginosa. «In silenzio, e molto veloce» dissi ancora a me stesso. Ecco, era l'ultimo verso della *Caduta di Roma* di Auden, ed era questo posto a essere «totalmente altrove». Tutt'a un tratto sentii che lui era dietro di me, e mi voltai quanto più in fretta potei. Tra i brandelli di nebbia un chiarore scialbo veniva da una vetrina del Florian, una vetrina alta e liscia, ancora discretamente illuminata e non coperta dalle assi. Mi avvicinai e guardai dentro. Lì dentro era l'anno 195?. Sui divani di panno rosso, intorno a un piccolo tavolo di marmo tutto occupato da un cremlino di bicchieri e teiere, era seduto Wystan Auden, con il grande amore della sua vita, Chester Kallman, con Cecil Day Lewis e sua moglie, Stephen Spender e sua moglie. Wystan stava raccontando una storia divertente, e tutti ridevano. Nel mezzo del racconto, un bel marinaio passò davanti alla vetrina. Chester si alzò e, senza neanche dire «arrivederci», si mise in caccia. «Guardai Wystan» mi raccontò a distanza di anni Stephen Spender. «Continuava a ridere, ma negli occhi gli era spuntata una lacrima»... Per me, a questo punto, la vetrina si era oscurata. Re Nebbia entrò al galoppo nella piazza, tirò le redini del suo stallone e cominciò a sciogliere il suo grande turbante bianco. Aveva gli stivali umidi, come i ricchi finimenti del cavallo; il suo mantello era tempestato degli scialbi gioielli miopi di lampadine accese. Vestiva a quel modo perché non aveva idea di che secolo fosse, tanto meno di che anno. Ma poi, essendo nebbia, non poteva proprio.

51

Ripeto: acqua è uguale a tempo, e l'acqua offre alla bellezza il suo doppio. Noi, fatti in parte d'acqua, serviamo la bellezza allo stesso modo. Toccando l'acqua, questa città migliora l'aspetto del tempo, abbellisce il futuro. Ecco la funzione di questa città nell'universo. Perché la città è statica mentre noi siamo in movimento. La lacrima ne è la dimostrazione. Perché noi andiamo e la bellezza resta. Perché noi siamo diretti verso il futuro mentre la bellezza è l'eterno presente. La lacrima è una regressione, un omaggio del futuro al passato. Ovvero è ciò che rimane sottraendo qualcosa di superiore a qualcosa di inferiore: la bellezza all'uomo. Lo stesso vale per l'amore, perché anche l'amore è superiore, anch'esso è più grande di chi ama.

Novembre 1989

PICCOLA BIBLIOTECA ADELPHI

ULTIMI VOLUMI PUBBLICATI:

Stampato nel gennaio 2001
dal Consorzio Artigiano «L.V.G.» - Azzate

Piccola Biblioteca Adelphi
Periodico mensile: N. 259/1991
Registr. Trib. di Milano N. 180 per l'anno 1973
Direttore responsabile: Roberto Calasso